An Introductory Guide to Clinical Studies

한의사와 **근거중심의학 · 임상연구**에 관심있는 **전공자**를 위한

알기쉬운
임상연구
입문 가이드

경희대학교한방병원 한의약임상시험센터 **김태훈**

알기쉬운
임상연구
입문 가이드

초 판 인 쇄 | 2021년 07월 16일
초 판 발 행 | 2021년 07월 26일

저　　　자　김태훈
발 행 인　장주연
출 판 기 획　김도성
책 임 편 집　안경희
표지디자인　김재욱
편집디자인　주은미
일 러 스 트　김경열
발 행 처　군자출판사
　　　　　등록 제4-139호(1991.6.24)
　　　　　(10881) **파주출판단지** 경기도 파주시 회동길 338(서패동 474-1)
　　　　　Tel. (031)943-1888　　Fax. (031)955-9545
　　　　　홈페이지 | www.koonja.co.kr

ISBN 979-11-5955-736-1
정가　25,000원

An Introductory Guide to Clinical Studies

한의사와 근거중심의학 · 임상연구에 관심있는 전공자를 위한

알기쉬운 임상연구 입문 가이드

경희대학교한방병원 한의약임상시험센터 **김태훈**

학문하는 데는 '개념을 공유할' 수 있어야 하고, '분류체계'가 바로 세워져야 한다는 두 전제조건을 벗어나면 아무리 열심히 한다고 하여도 헛바퀴만 돌 뿐, 앞으로 나아가지 못합니다. 환원주의를 근간으로 하는 기초의학뿐 아니라, 임상의학도 예외가 아니며, 이 임상의학이 표준의학의 서양의학이든, 보완·대체의학이든, 전통의학이든, 當代 思潮를 떠날 수 없습니다. 간혹 치료법에서 획기적이거나 脚光을 받더라도 앞서 말한 전제조건을 충족시키지 못하면 유사(pseudo)라는 접두사를 붙이고, '뉴노멀'로 승격시키지 않습니다.

(양)의사와 한의사의 의료2원화 제도에서 전통의학, 즉 한의 치료의 가치를 어떻게 '공유할' 것이며, 어떻게 '분류할' 것인가 하는 과제는 한의학 전공자에게는 크나큰 책무이자, 선현들에게 엄청난 부채의식을 지니고 있다고 하겠습니다. 이 작업은 순전히 우리만의 몫이기 때문입니다. 전통의학은 각국의 전통, 관습, 문화, 역사, 철학에 따라 달리 전승되고 계승되는 특징이 있습니다. 한의학의 임상 가치를 국가적인 테두리를 넘어 세계의 지식인들과 '공유 지식'으로 만들기 위해서는 여기에 적합한 연구 방법론을 배워야 합니다. 경계를 넘는 체계 확립이 필요합니다.

임상 현장에서의 '치료 가치'에 대한 평가와 그 분류체계 연구가 본격적으로 시작된 것은 이제 겨우 30년의 역사밖에 되지 않습니다. '치료 가치'에 대한 방법론 연구가 뜨거운 오늘날, 한의학적인 사고 체계가 혼입되어야 한다는 사명감을 가지고 뛰어든 김태훈 교수가 그간의 노고가 스며든 업적이 세상에 나오게 되었습니다.

그의 歷程을 보면 임상 분야에서 수련의 과정을 연수하였으며, 그 뒤 임상연구방법론에 투신하여 현재 임상시험 센터의 책임 전임 교수로 있습니다. 그의 족보를 보면 정통의 흐름을 이어간다고 하겠습니다. 한국한의학연구원의 이명수 박사에게 지은이는 일찍이 '체계적 고찰'을 익혔으며, 이에 근거한 박사학위 논문은 저명한 국제 학술지에 실리기도 하였습니다. 그는 매년 코크란 콜로키움에 참가하면서 과거의 지식을 업데이트하는데도 게을리하지 않는 모습을 보여주고 있습니다.

최근 몇 년 동안 그는 임상시험과 본인만의 논문 생산에만 그치지 않고, 학부생, 대학원생을 대상으로 하여 강의도 열심히 하고 있습니다. 이러한 '배우고, 가르치는' 과정에서 한의 치료 가치를 '버릴 것인가, 출판할 것인가'(perish or publish)라는 명제에 매달렸을 것입니다.

그 많은 고심을 소화해 낸 노고가 이 한 권으로 묶여 강호제현에게 비판의 서늘한 날을 맛보게 되면서, 우리 모두 배워야 할 필수 과목으로서 추천해 마지않습니다.

2021년 07월

경희대학교 제2내과학 교실

교수 조 기 호

현대의 임상의학(한의학)을 이해하기 위해서 임상연구와 근거중심의학이 무엇인지, 어떻게 그것을 해석해야 하는지 알아야 할 필요가 있다. 임상연구는 인간을 대상으로 하는 모든 종류의 연구를 의미하며, 근거중심의학은 임상연구의 결과를 치료의 효과와 안전성에 대한 주된 근거로 삼아서, 해당 내용을 임상에 적용하여 의료적 의사결정을 내리는 종합적인 실천 체계로 정의해 볼 수 있다. 근거중심의학이 현대 의학을 이해하는데 필수적인 것임에도 불구하고, 이 용어가 1992년에서야 처음 사용되었다는 것은 그 역사가 생각보다 길지 않다는 것을 암시한다. 그렇기에 임상연구나 근거중심의학은 불과 10년 전만 하더라도 학부의 정규 교육과정에 편성되지 않았고, 예방의학이나 보건학에서 일부 다루거나, 아니면 임상 각과에서 논문을 보면서 이 내용을 접하는 경우가 대부분이었다.

필자가 속한 대학에서는 한의약임상연구학교실이 대학원에 설치된 이후, 2019년도에 처음으로 "의학연구입문"이라는 전공선택과목이 학부에 개설되었다. 이 16주의 강좌를 통해 근거중심의학, 임상연구, 의학논문 등에 대한 전반적인 내용을 강의하였고, 종반부에 모의임상시험의 설계와 수행, 분석 등의 실습과정을 포함시켜 학생들의 실증적인 이해를 도모하였다. 그 연장 선상에서, 강의 자료를 수집하고 예시 등을 추가하여 엮은 것이 바로 이 책 "알기 쉬운 임상연구 입문 가이드"이다. 이 책은 한의과대학의 학부생과 임상한의사를 1차 독자로 상정하여 집필하였으나, 의학계열 혹은 간호, 약학의 학부생이나, 임상시험 관련 업무를 배우는 종사자들(연구간호사, 모니터요원 등), 혹은 임상의 중 임상연구와 근거중심의학에 대한 기초적인 지식을 습득하기 희망하는 사람들도 입문 단계에서 참고할 수 있도록 만들었다. 미진한 부분이 있지만, 근거중심의학에 대한 이해를 높이는 마중물로서 활용될 수 있기를 희망한다.

마지막으로 책을 통해 부지런히 대중과의 소통을 몸소 실천하고 계신 한의계 저명 저술가로, 졸저를 위해 추천사를 써 주신 조기호 교수님께 이 자리를 빌어 감사의 말씀을 드린다. 또한 진료와 연구로 바쁜 가운데에서도 수고로움을 마다치 않고 의견을 나누어 준 부산대학교의 김건형 교수와 경희대학교의 강중원 교수에게 고마움을 표한다. 이 책에 수록된 상당수 내용은 학문의 동지인 이들에게 빚지고 있음을 숨길 수 없다. 마지막으로 끝까지 애정을 가지고 책의 출간을 위해 힘써 준 군자출판사의 김도성 차장과 안경희 선생에게도 마음으로부터의 감사를 표한다.

2021년 07월

저자 **김 태 훈**

| Contents |

추천사 ··· iv

머리말 ··· vi

PART
01

근거중심의학   1

01. 근거중심의학이란 ··· 3

02. 근거중심의학의 간략한 역사 ······················ 11

03. 비뚤림 ·· 20

04. 체계적문헌고찰 ··· 26

05. 임상진료지침 ··· 33

06. 근거중심의학에 대한 비판과 미래 ············· 39

참고문헌 ··· 45

PART 02

임상연구　49

01. 임상연구의 특수성 ···················· 51

02. 임상연구의 유형 ······················ 55

03. 임상연구의 윤리와 규제 ··············· 78

04. 임상연구계획 ························· 93

05. 임상연구의 수행 ···················· 113

06. 임상연구 결과의 보고 ················ 123

참고문헌 ······························ 130

PART 03

연구결과의 활용　135

01. 의학저널이란? ······················ 137

02. 의학 데이터베이스 및 문헌의 검색 ······ 149

03. 비평적평가 ························· 160

04. 임상연구와 관련된 통계와 메타분석의 이해 ··· 166

참고문헌 ······························ 181

| Contents |

부록   183

01. PubMed의 검색 개요 ……………………………… 185

02. 주요 보고지침의 소개 ……………………………… 189

03. 임상연구 레지스트리 소개 ………………………… 196

04. 한의약 임상연구 현황 ……………………………… 199

참고문헌 ………………………………………………… 203

INDEX ………………………………………………… 205

PART

01

근거중심의학

SECTION

01. 근거중심의학이란

02. 근거중심의학의 간략한 역사

03. 비뚤림

04. 체계적문헌고찰

05. 임상진료지침

06. 근거중심의학에 대한 비판과 미래

01

근거중심의학이란

새천년에 대한 희망과 불안이 교차하였던 2000년이 지나면서, 현 시대를 대표하는 주요한 기술적 진보나 철학적으로 중요한 담론들에 대해 백과사전식으로 설명하려는 시도가 있었다. 뉴욕타임즈는 2001년 12월, "생각으로 가득 찬 한 해: A부터 Z까지(The Year In Ideas: A to Z)"라는 제하의 특집호에서 당대에 기억할만한 중요한 생각들을 80여개의 기사로 묶어서 다룬 바 있다. 이 중 개인의 유전적 차이가 약물에 대한 반응에 어떻게 영향을 끼치는지를 다루는 '약물유전학(pharmacogenomics)'과 뉴욕의 두 의사가 프랑스의 스트라스부르그에 있는 환자에게 복강경을 이용한 담낭절제술을 시행하였던 일을 다룬 '원격수술(tele-surgery)', 선진국에서 비누나 스프레이 세정제를 이용한 항균 상품이 증가함과 동시에 신종 박테리아가 창궐하는 모순을 다룬 "공중 위생이 하나의 위험요인이다(Hygine is a haz-ard)", '뇌를 스캔하는 거짓말탐지기(lie detector)' 등이 의료와 관련된 시대의 아이디어로써 소개되었다.[1] 이러한 의학적인 새로운 발견이나 기술의 발전에 따라 변화하는 진료 양상의 변화, 환경변화에 동반한 질병 유행의 흐름 등에 더하여 소개된 내용 중 하나가 '근거중심의학(Evidence-based medicine, EBM)'이었다.[2] 근거중심의학이 이전에 상식으로 받아들여졌던 의학적 믿음을 어떻게 뒤바꾸어 놓았는지, 임상의학에 어떠한 영향을 끼쳤는지 그리고 근거중심의학이 탄생할 수 있었던 기술의 발달이나 연구방법론의 등장은 무엇이었는지에 대해 여기에서 간단명료하게 설명한 바 있다. 기존 의학과 구별되는 근거중심의학의 특징은 무엇인가. 그리고 어떻게 해서, 근거중심의학이 현대 의학의 흐름을 주도하게 되었는가. 이 책에서 가장 먼저 다룰 것은 현대 임상을 이해하는 기초가 되는 근거중심의학이다.

근거중심의학*에 대하여, David Sackett은 "개별 환자의 돌봄을 위한 의사결정 시 양심적이고, 분명하며, 분별력 있게 현재 최선의 근거(evidence)를 사용하는 것"이며, "체계적문헌고찰(systematic reviews)로부터 도출된 가능한 최선의 임상적 근거에, 의사 개인의 임상적 전문지식이나 경험을 통합한 것이 근거중심의학에 바탕을 둔 임상진료"라고 정의하고 있다.[3] 근거중심의학의 주요 개념들을 소개하고 확산시킨 초기의 선구자들은 근거중심의학을 임상의학의 새로운 패러다임이라고 주장하며, 의학교육과 임상진료 전반에 걸쳐 새로운 사고의 틀을 제시하였다. 특히 Gordon Guyatt은 경험 및 체계적이지 않은 관찰을 통한 임상 지식의 습득, 질병의 기초 기전 및 병태생리학적인 연구에 기반한 진단 및 치료, 전통적인 의학적 수련이나 상식에 의거하여 새로운 진단법이나 치료법을 평가, 해당 분야 전문지식이나 임상적 경험을 진료지침개발의 근거로 삼는 것 등이 기존 임상의학의 특징이라고 규정하고, 이에 대비되는 개념으로서, 임상연구를 바탕으로 한 근거를 중시하는 임상의학의 새로운 접근법을 근거중심의학으로 지칭하였다. 또한 근거중심의학에 기초한 임상을 실천하기 위하여 임상의들은 유효한 문헌의 검색이나 임상문헌의 질평가 등 새로운 기술을 습득할 필요가 있다고 역설하였다.[4]

기존 의료와 구별되는 새로운 사고체계로써 근거중심의학은 세 가지 기본 원칙에 기초하고 있다. 첫 번째, 근거에는 위계(hierarchy)가 있다는 것이다. 우리는 임상에서 부딪히는 문제들을 해결하기 위하여 다양한 근거들을 활용하고 있다. 개인적인 경험 또는 선배나 전문가의 조언, 병태생리학적 기초연구결과, 관찰연구로부터 도출된 질병의 원인이나 위험인자에

---

* Evidence−based medicine (EBM)을 의미하는 한글용어로, Jeremy Howick의 'The Philosophy of Evidence−based Medicine'의 한국어역에서는 증거기반의학으로 번역해서 사용하고 있으나, 이 책에서는 임상진료지침 정보센터 및 코크란 연합 한국지부 등에서 사용하고 있으며, 대한의사협회의 의학용어 6판에 제시된 근거중심의학으로 번역하여 사용하기로 한다.

대한 지식, 대규모 무작위대조군임상연구를 통해 얻어진 중재의 유효성과 안전성에 대한 정보, 체계적문헌고찰과 메타분석에서 제공하는 중재 효과크기의 추정치 등 다양한 자료들이 임상적 판단을 위하여 사용될 수 있으나, 이들이 가진 가치는 서로 동등하다고 볼 수 없으며, 각각이 제시하는 근거의 신뢰도에 차이가 있음을 이해해야 한다는 점이다*. 근거의 위계는 본래에는 근거를 제공하는 연구의 설계에 따라 근거의 위계상 상위에 위치하는 연구로부터 도출된 근거가 하위에 위치하는 연구 근거에 비해 더 신뢰할 수 있다는 전제로부터 출발하였

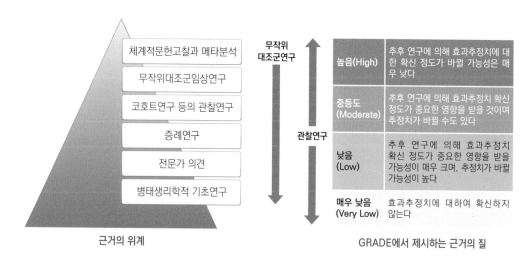

그림 1-1-1. 근거 위계와 GRADE**

---

* 근거를 구성하는 연구 유형 곧 관찰연구, 무작위대조군연구, 체계적문헌고찰, 메타분석 등에 대해서는 PART 01의 후반부와 PART 02에서 다룬다. 여기에서는 연구 유형에 따라 근거의 신뢰도가 달라질 수 있다는 점을 기억해야 한다.

** 근거중심의학의 가장 중요한 원칙, 곧 근거들 사이에 신뢰도의 차이가 있음을 표시하는 그림이다. 왼쪽의 삼각형은 근거에 위계가 있다. 이는 상대적으로 고정되어 있음을 도시한 것으로, 위계의 상위에 위치한 근거가 아래에 위치한 근거에 비하여 질적으로 우위에 있음을 표시한다. 오른쪽은 GRADE group에서 제시한 새로운 형태의 근거의 위계(근거의 질)를 표시하는 도표이다. GRADE의 도표가 근거의 위계와 다른 점은 연구설계에 따라 근거의 질이 고정된 것이 아니라 신뢰도에 영향을 미치는 인자들에 의해 무작위대조군연구의 질이 낮게 평가될 수도 있고, 관찰연구결과도 상황에 따라서 높게 평가될 수 있음 곧 연구설계 뿐만 아니라 다른 요인에 의해 연구의 질이 변동가능하다는 것이다.

다(그림 1-1-1). 근거의 위계에 의하면 최선의 근거는 무작위대조군임상연구 및 체계적문헌고찰을 통해 도출된 연구결과이며, 의료적인 의사결정 시 병태생리학적 기초연구나 전문가 의견보다 이들을 우선해야 한다는 것을 의미한다. 그러면 이러한 전제가 타당한 이유는 무엇일까?

　현대 의학이 병태생리학적 기초기전연구를 통해 우리 몸과 질병 및 의학적 중재들의 작용기전에 대한 이해가 깊어지면서 발달되었다는 것은 부인할 수 없는 사실이다. 하지만 기초기전연구를 통해 얻어진 지식이 실제 환자에게 기대한 효과를 발휘하지 못하는 사례가 흔히 보고되고 있기 때문에, 병태생리학적 실험연구 결과를 직접 사람에 적용하는 것 보다는 실제 환자에 적용하여 확인된 자료를 활용하는 것이 적절하다고 생각할 수 있다. 그에 대한 사례로 Howick은 다음과 같은 예시를 들고 있다.[5] 니모디핀(nimodipine)은 칼슘채널길항제(calcium channel blocker)로, 현재는 지주막하출혈 후 뇌혈관경련으로 발생 가능한 뇌신경의 장애를 예방하기 위해 사용하고 있다. 일반적으로 세포가 죽을 때 세포내 칼슘의 농도가 높아진다. 과거에는 기초기전연구결과에 의거하여 니모디핀이 세포가 손상된 후 세포 외부로부터 세포 내로 칼슘의 유입을 억제하기 때문에, 실제 사람에서도 사멸을 방지할 수 있다고 미루어 짐작하여 뇌졸중, 즉 뇌혈관이 막히거나 터진 후 뇌에 허혈이 발생하였을 때 신경손상을 최소화할 목적으로 임상에서 활용된 적이 있다.[6] 그런데 실제 급성허혈성뇌경색이나 뇌허혈 환자에 대한 환자대조군연구에서는 기대와 다르게 효과가 입증되지 않았다. 그러므로 뇌경색의 신경손상을 최소화할 목적으로 사용하는 것은 적절하지 않은 것으로 판명되어, 현재는 뇌졸중 후에 니모디핀을 사용하지 않는다.[7]

　다음으로 무작위대조군연구가 관찰연구보다 우위에 있는 이유는 무엇일까? Howick은 연구대상자를 무작위로 배정하여 진행하는 무작위대조군연구의 경우 무작위배정이 없는 관찰연구에 비하여 선택비뚤림(selection bias)과 할당비뚤림(allocation bias)의 위험을 줄여 연구결과에 영향을 줄 수 있는 교란변수의 통제가 용이한 점과 대조군을 사용함으로써 양측눈가림(double blinding)과 플라세보대조군(placebo control)을 사용할 수 있어 연구자의 영향에 의한 수행비뚤림(performance bias)의 통제가 용이함, 그리고 대조군이 없는 관찰연구 (case study나 case report)의 경우 중재의 특이적인 효과 뿐만이 아니라 다른 요인들로 인한 효과를 적절히 배제할 수 없어서 효과가 과대 혹은 과소 추정될 가능성이 있음 등의 이유를 들어 설명하고 있다.[5] 결국, 근거중심의학의 가장 기본적인 전제는 환자에 대한 의료적 의사결정에서 가능한 한 외부적인 요인의 개입이 배제될 수 있도록 잘 설계되고 수행된 임상연구의 결과로부터 도출되어야 한다는 점이다.*

그런데 근거의 위계가 단순히 연구설계에 따라 고정불변의 것이 아니며, 근거의 질을 적절하게 평가하여 그에 걸맞는 정도의 신뢰도를 부여하는 것이 필요하다는 의견이 제기되었다. 근거의 질(Quality of evidence, 그림 1-1-1의 오른쪽)은 GRADE working group (Grading of Recommendations Assessment, Development and Evaluation)이 제안한 것으로, 체계적문헌고찰이나 임상진료지침에서 근거를 요약하고 근거의 확실성(certainty of evidence)을 평가하여 임상 권고를 도출하거나 제시하기 위한 도구로 활용되고 있다.[8] GRADE의 근거의 질을 자세히 살펴보면, 앞에서 언급한 근거의 위계와는 달리 연구설계와 무관하게 모든 연구의 결과는 근거의 확실성에 따라서 높은 근거의 질을 가질 수도 있고, 반대로 매우 낮은 근거의 질을 가지고 있다고 평가될 수도 있음을 알 수 있다. 무작위대조군연구와 체계적문헌고찰을 통해 평가한 근거의 경우 잘 설계되고 적절하게 수행되었다면 근거의 질이 높다고 인정될 수 있다. 하지만 연구의 설계 및 수행상 중대한 문제점이 있는 경우, 혹은 연구결과들이 서로 일관되지 않고, 연구결과가 지칭하는 것이 실제 적용하려는 대상과 직접적인 관계가 없는 경우, 정밀하지 않은 연구결과를 제시하려는 경우, 보고비뚤림 등이 있는 경우 등에는 근거의 질을 낮음으로 평가할 수 있다. 관찰연구의 경우는 설계상 한계로 인하여 원래는 근거의 질이 낮다고 평가할 수 있다. 그러나 추정한 중재의 치료 효과가 매우 크거나 용량반응관계를 보이는 경우, 명백하게 보정되지 않은 교란변수 등 내제된 자체적인 비뚤림에 의해 중재의 효과가 감소되었을 것으로 확실히 판단할 수 있는 경우에는 높은 질을 가진 근거로 상향조정할 수 있다.[9] 이렇게 근거에 위

---

* 여기서 언급되는 다양한 비뚤림에 대한 내용들은 SECTION 03에서 다룬다.

계가 존재한다는 명제로부터 근거중심의학은 출발하며, 최선의 의사결정을 위해 양질의 근거를 활용해야 한다는 주장이 근거중심의학을 기존의 의학과 구분하는 첫 번째 원칙이다.

둘째로 임상적 의사결정을 위하여 최선의 근거를 제공하는 체계적문헌고찰과 메타분석을 이용하는 것이 타당하다는 것이다. 체계적문헌고찰은 진단과 치료 등 임상과 관련된 특정 임상질문(clinical question)을 해결하기 위해 사전에 정의한 방법에 의거, 현존하는 모든 임상연구 결과를 검색, 수집, 정리 및 분석하여 통합적인 분석을 제시하는 연구방법론이며, 메타분석은 체계적문헌고찰 결과 포함된 연구들로부터 얻은 개별 연구 자료를 양적으로 합성하는 통계적인 방법을 의미한다.[10] 무작위대조군임상연구가 증례연구나 관찰연구에 비해 근거의 위계에 있어서 우위에 있음은 앞에서 언급한 바 있다. 그런데 왜 단일한 무작위대조군임상연구 결과보다 체계적문헌고찰과 메타분석이 근거의 위계에서 더 상위에 위치하는 것일까? 이에 대해서 Guyatt은 급성심근경색증에 대한 혈전용해술치료를 활용할 것인지 말 것인지에 대한 근거와 권고가 시대에 따라 어떻게 변하고 있는지를 설명한 Antman의 누적메타분석(cumulative meta-analysis) 결과를 인용하여 그 이유를 제시하고 있다.

혈전용해술은 급성심근경색증의 치료를 위해 현재 통용되는 중재이다. 그러나 1970년대 이전에는 혈전용해술의 유효성을 평가한 소수의 무작위대조군연구만이 존재했기 때문에, 이 치료의 효용이 명백하게 확증되지 못하였다. 그런데 1970년대 이후로 임상연구가 누적되면서 혈전용해술이 사망률을 감소시킨다는 근거가 메타분석을 통해 명백해지기 시작하였다. 그 결과 1980년대에는 혈전용해술의 사용을 권유하기 시작하였고, 1990년대에 이르러 대부분의 교과서에 효과가 있음이 언급되고 있음을 확인할 수 있다.[11] 이를 통해 살펴보면, 해를 거듭할수록 유사한 임상연구의 결과가 누적되면서 연구결과의 정밀성이 높아지고, 이와 더불어 신뢰도가 높아지기 때문에 임상적인 의사결정을 위한 근거를 선택할 때에 현재까지 활용 가능한 모든 최선의 근거를 통합하는 것이 필요하며, 그 방법으로 제시된 것이 바로 체계적문헌고찰과 메타분석이다. 근거중심의학에서 체계적문헌고찰과 메타분석은 근거의 위계 중 최상위에 위치하고 있으며, 가장 중요하게 다뤄지고 있는 연구방법론이다.

세 번째는 임상적 의사결정에 있어서 근거가 중요하지만 환자의 가치와 선호도를 같이 고려해야 한다는 점이다.[11] 임상진료지침에서 제공되는 권고문은 대상이 되는 평균적인 인구집단을 상정하고, 그들에게 적용가능한 근거에 바탕하여 제시되고 있기 때문에, 평균적인 가치와 선호를 반영하고 있다. 따라서 개별환자의 실제 임상진료에 그대로 적용할 수 없으며, 임상 진료 현장에서는 환자 개인의 가치와 선호에 의거하여 의사결정을 내릴 수 있도록 해야 한다는 것이다. 메이오클리닉(Mayo clinic)의 '공유된 의사결정을 위한 국가정보센터(Shared Decision Making National Resource Center)'는 환자의 의사결정을 위해 도움을 제공하고, 의사와 환자 간에 충분한 정보를 공유한 상태에서 의사결정을 내리는 기술을 개발하고, 보급하는 것을 통해, 환자중심의료를 향상시킬 목적으로 설립되어 운영되고 있다.[12-13] 이곳에서 제공하는 여러 도구들 중 당뇨약 선택을 위한 의사결정지원카드(diabetes medication choice decision aid cards)가 있다. 이것은 7종류의 카드로 구성되어 있는데, 메트포르민과 인슐린 등 2형 당뇨를 치료하기 위해 흔하게 사용되는 약제들에 대한 정보를 제공한다. 각각의 카드에는 환자가 당뇨의 치료를 시작할 때 걱정되거나 관심을 갖고 있는 요인들 곧 당뇨약 사용과 관련된 체중의 변화, 저혈당 위험, 혈당의 조절 능력, 투여 시 고려사항, 투여 방법, 매일 자가 혈당 체크의 필요성 여부, 비용 등의 관점에서 약물들의 우선 순위 근거를 보기 쉽게 도식화하고 있다. 환자는 이 카드를 이용하여, 본인이 염려하는 요인에 따라 근거가 정리된 카드 내용을 읽고, 자신이 선호하거나 혹은 우려하는 측면에서 각 약제의 근거를 비교하고, 이를 바탕으로 자신의 치료를 선택하는데 도움을 얻을 수 있다.[14] 근거중심의학에 대한 빈번한 오해 중 하나는 임상연구로부터 생산된 근거가 의료인의 경험이나 의료환경, 환자의 개인적인 차이 및 선호 등과는 무관하게, 의료적인 의사결정시 언제나 우선한다고 생각하는 것이다. 임상연구를 통하여 생산된 보편적인 근거의 중요성은 인정하지만, 의료는 특수한 환자 한 사람 한 사람을 대상으로 상이한 임상 환경에서 제공되는 것이므로, 환자 각자의 개별성이 반영되어야 진정한 의미의 근거중심의학이 완성될 수 있다. 이러한 측면에서 환자의 선호도와 가치 및 의료환경을 고려하여, 근거에 대한 정보를 의사와 환자 사이에 공유한 것을 바탕으로 의료적 의사결정이 가능하도록 노력하는 것이 미래의 근거중심의학으로 나아갈 방향이라고 생각한다.

다음 SECTION에서는 근거중심의학의 역사를 주도한 인물들 위주로 간략하게 살펴보고, 어떠한 배경하에서 근거중심의학이 성립되고 주요 개념들이 수립되어 왔는지를 검토해 보도록 하겠다.

근거중심의학이란 현존하는 이용 가능한 모든 임상연구를 통해 얻은 자료를 분석한 체계적문헌고찰과 메타분석 등을 통해 도출된 최선의 근거에, 의사의 경험과 개별 환자의 가치를 고려하여, 의학적인 의사결정을 내리는 임상의학적 사고 및 실천 체계로 정의해 볼 수 있다.

02

근거중심의학의 간략한 역사

SECTION 01에서 언급한 대로 근거중심의학적 사고와 실천 방법들이 임상의학의 기존 체계를 큰 틀에서 뒤바꾸고 있을 정도로 강력한 영향력을 끼치고 있지만, 이 운동의 역사는 비교적 최근에 시작되었다. 문헌상 근거중심의학(evidence-based medicine)이라는 용어는 Gordon Guyatt이 1992년에 미국의사협회지(JAMA)에 "근거중심의학. 임상 진료의 교육을 위한 새로운 접근법(Evidence-based medicine. A new approach to teaching the practice of medicine)"이라는 제목의 논문4을 게재하면서 처음 공식적으로 등장하였다.15 그러나 이 용어가 문헌에 등장하기 이전부터, 근거중심의학을 실천하기 위한 주요 방법론과 원칙들은 다수의 선각자들에 의해 이미 형성되고 있었다.

Pierre Charles Alexandre Louis (1787-1872, 그림 1-2-1)

근거중심의학의 역사에 대해 구체적으로 들어가기 앞서서, 근거중심의학의 근간을 이루는 임상연구가 어떻게 태동되었는지를 살펴볼 필요가 있다. 1835년 프랑스의 의학자이자 임상의인 Pierre Charles Alexandre Louis는 자락(사혈)의 효과에 대한 연구를 통해서 폐렴에

그림 1-2-1. Pierre Charles
Alexandre Louis

대한 자락술의 효과를 객관적으로 평가하려고 시도하였다. 19세기 초에는 장부의 염증이 발열의 원인이라고 간주하고, 사혈을 통한 염증의 해소가 발열을 치료하는데 효과적이라는 의견이 지배적이었다. 이에 폐렴 치료를 위해 거머리나 란셋을 이용한 자락술이 통상치료로써 빈번하게 시행되었다. 그런데 Louis는 발열에 대한 사혈의 실제 효과에 대하여 의심을 품고, 자신이 보유하고 있는 증례 기록들 중 인구학적 특성이 균질하고, 폐렴의 전형적인 특성을 보였던 78건의 폐렴환자 증례를 검토하였다. Louis는 발열의 초기(1-4일, 41명)에 자락을 시행한 증례와 후기(5-9일, 36명)에 자락을 시행한 증례를 비교하였다. 초기에 자락을 시행한 경우 늦게 자락을 시행한 사람들보다 질병에 이환된 기간이 3일 줄어들지만, 각각의 사망자수를 비교해보면 초기에 자락을 시행한 50대 이상의 연령인 사람의 사망자 수가 후기에 자락한 사람에 비해 2배가 넘는다는 점을 알게 되었다. 이러한 결과에 대해 Louis는 후기에 자락을 시행한 사람의 경우 이미 위중한 상황을 넘긴 후 시술을 시행하였기 때문에 예후가 좋았을 것으로 추정하였다. 또한 Louis는 자락술 치료는 증상이 매우 심한 경우에 한정적으로 효과가 있다고 결론을 내렸다. Louis의 연구는 다른 조건을 동일하게 한 상태에서 중재의 효과를 비교하는 군간비교라는 개념을 적용했다는 점, 의학적 측면에서 새롭고 유효한 정보는 집적된 임상 자료의 분석으로부터 도출될 수 있다는 수치해석법(numerical method)을 제안하였다는 점에서 현대적인 의미의 임상연구 방법론이 수립되는 과정에 중대한 영향을 끼쳤다고 평가할 수 있다.[16]

Austin Bradford Hill (1897-1991, 그림 1-2-2)

영국의 역학자인 Austin Bradford Hill은 신약에 대한 공정한 효과의 평가를 위하여 무작위대조군임상시험의 개념을 수립하고, 현대적인 의미에서 최초로 신약에 대한 임상시험을 수행한 선구자 중 한 사람이다. 그는 1952년 뉴잉글랜드의학저널(The New England Journal of Medicine)에 발표한 '임상시험(The Clinical Trial)'이라는 기고문에서 임상시험에서의 무작위배정의 중요성에 대해서 언급한 바 있다. 곧 임상시험에서 각 군은 연구를 시작하는 시점에 서로 비교 가능하도록 공정하게 배정이 되어야 하며, 배정 시 연구자의 판단이 개입될 여지를 없애기 위해 무작위배정을 시행해야 한다고 주장하고 있다. 또한 무작위배정 시 하위군을 이용한 층화방법을 사용하면 우연히 비교되는 군간 불균형이 발생할 가능성을 줄이는 장점이 있음을 설명하고 있다.[17]

그림 1-2-2. **Austin Bradford Hill**

Hill의 대표적인 연구로는 그가 포함된 영국의 의학연구위원회(Medical Research Council)가 주도한 스트렙토마이신(streptomycin)연구가 있다. 페니실린의 성공 이후 Selman Waksman과 Albert Schatz는 토양에서 스트렙토마이신을 분비하는 두 종류의 균주를 분리해 내었다. 당시 젊은 성인의 주요 사망원인이었던 결핵에 대하여 기초기전연구를 통해서 스트렙토마이신이 결핵균의 성장을 억제시키는데 효과가 있다는 것이 이미 확인되었으나, 통상치료와의 비교임상시험이 없이 환자에게 바로 투여하는 것은 비윤리적임을 근거로 Hill은 임상시험의 시행을 제안하였다. 이후 결핵환자를 대상으로 한 스트렙토마이신의 무작위대조임상시험이 1947년 초반부터 런던 소재 세 곳의 병원에서 시행되었다. 이 임상시험에서는 15

세에서 30세의 급성 진행성 양측성 폐결핵으로 진단 받은 환자들을 대상으로 치료군과 침상휴식군으로 나누어 효과를 비교하였는데, 당시 환자는 S(스트렙토마이신)와 C(대조군)가 들어있는 봉투를 뽑아서 둘 중 하나의 중재에 무작위로 배정되었다. 그 결과 스트렙토마이신으로 배정된 55명 중 4명이 6개월 내에 사망했으나 대조군의 경우 52명 중 15명이 사망함을 밝혀내어 스트렙토마이신이 결핵환자에게도 유효하다는 것을 증명하였다. 이러한 결과는 새로운 치료를 환자에게 적용할 때 의사들의 주관적인 판단이 중요하지만, 이보다 먼저 임상연구를 통한 객관적 평가가 필요하다고 인식하는 계기가 되었으며, 무작위배정과 같은 임상연구 방법론이 도입되는데 기여하였다고 평가받고 있다.[18]

Thomas C. Chalmers (1917-1995, 그림 1-2-3)

그림 1-2-3. Thomas C. Chalmers

사람을 대상으로 한 임상연구의 중요성이 부각되면서, 임상시험 방법론과 관련된 문제점, 그리고 연구결과의 합성에 대한 관심이 제고되었다.

Thomas Chalmers는 한국전쟁 당시 교토에서 군복무 중 간염에 대한 표준치료의 효과를 평가하는 무작위요인설계임상시험을 진행하였다. 당시에는 간염에 대한 표준치료로써 장기간의 침상안정이 흔히 처방되고 있었는데, 연구결과 이것이 아무런 효과가 없음을 확인하였다. 곧 상식으로 알려진 표준임상치료에 대하여 의문을 제기하고, 임상연구를 통해 근거를 확인해야 한다는 Thomas Chalmers의 철학을 엿볼 수 있는 사건이라고 평가할 수 있다.

Thomas Chalmers는 임상연구의 설계, 실행, 분석, 보고의 문제를 파악하고 연구의 질을 판단하기 위한 여러 아이템으로 구성된 평가도구들을 사용하여 임상시험의 질적인 제고를 도모하였으며, 임상시험 결과보고의 투명성을 제고하기 위하여 임상시험의 공공적 등록 (clinical trial registration)을 주장하였다. 이러한 노력이 훗날 무작위임상시험 보고의 질을 향상시키기 위한 CONSORT (Consolidated Standards on Reporting Trials) 지침 등의 발간 으로 이어지는데 큰 공헌을 하였다고 평가받고 있다. 또한 임상시험과 관련된 비판 중 하나 로 거론되었던 것이 연구에 포함된 대상자의 수가 충분하지 않아서 검정력을 가지지 못하기 때문에 적절한 평가가 어렵다는 지적에 대하여, 유사한 임상연구들의 결과를 통합해서 분 석하는 메타분석을 의학분야에 도입하여 치료효과에 대한 보다 신뢰할 만한 통계적인 효과 추정치를 제시할 수 있음을 보여주었다. 이러한 점에 근거하여 근거중심의학의 기틀을 세우 는데 중대한 역할을 담당하였다고 평가되고 있다.[19]

Archibald Cochrane (1909-1988, 그림 1-2-4)

Archibald Cochrane은 근거중심의학 방법론의 초석을 마련하였다는 측면에서 근거중심의학의 아 버지라고 불리운다. Cochrane은 스코틀랜드 출신 의 의사로, 젊은 시절 성적인 문제를 해결하기 위 해 프로이드의 정신분석에 기초한 치료를 오랜 기 간 시도해보았으나 이가 무효하다는 것을 깨닫고, 근거에 기반한 치료에 관심을 가지게 되었다.[20]

그림 1-2-4. Archibald Cochrane

2차 세계대전 당시 군의관으로 활동하였던 코크란은 1941년부터 45년까지 독일군 포로로 붙잡혀 생활하였다. 그러던 중 당시 심각한 영양결핍으로 인하여 발목 및 무릎까지 부종이 발생하는 습각기(wet beriberi)가 포로들 사이에 만연한 것을 관찰하게 된다. 이에 비타민 B_1이 풍부한 효모와 비타민 C를 수용소 내 암시장에서 구입하고, 20명의 습각기에 이환된 포로를 무작위배정하여 효모와 비타민 C를 4일간 투여하고 증상을 관찰한 결과, 효모를 섭취한 군에서 증상이 현저하게 호전됨을 확인하였다. 이러한 내용을 바탕으로 수용된 포로들의 식사에 효모가 포함되도록 독일군에 건의하였다고 한다. Cochrane의 임상연구와 근거중심의학에서의 선구자로서의 면모를 엿볼 수 있는 사건이라 할 수 있다.[20]

Cochrane은 유효성에 대한 임상 근거가 확립되기 전까지는 어떠한 치료도 시행되면 안 되며, 사려깊고, 체계적이며, 과학적인 방법을 통하여 임상진료 및 의료적 의사결정에 도달해야 한다고 주장하였다. 또한 Cochrane은 기존의 진단과 치료 전략들에 안주하지 않고, 의료의 질을 개선하기 위한 노력을 멈추지 않았다. 이를 위한 방법으로 어떤 것이 적절한 치료인지 확인하기 위하여 무작위대조군연구 및 비용-효용분석을 시행해야 한다는 그의 주장은 후대에 근거중심의학의 기본적인 원칙으로 자리잡게 되었다. '유효성과 효용: 의료에 대한 무작위적 반영(Effectiveness and Efficiency: Random Reflections on Health Services)'이라는 책에서 Cochrane은 의료중재와 의료자원 활용의 과학적인 근거가 부족하기 때문에, 무작위대조군임상연구를 통해 유효성을 평가해야 한다고 강력하게 주장하였다. 또한 무작위대조군임상연구를 수행하는데서 그치지 않고, 이들 연구결과를 효율적으로 요약하는 것이 필요함을 역설하였다. 이러한 Cochrane의 생각은 훗날 옥스퍼드 대학 내에 코크란 센터(Cochrane Centre), 그리고 종국에는 전세계 보건의료 연구자와 의료소비자, 방법론 전문가들이 참여하여 근거중심의학의 견인차 역할을 담당하게 될 코크란 연합(Cochrane Collaboration)이 설립되는 기초가 되었다.[20]

David Sackett (1934–2015, 그림 1-2-5)

David Sackett은 Cochrane과 같이 근거중심의학의 아버지 중 한 명으로 거론된다. 그는 미국 출신의 의사이며, 임상역학자이다. 그는 근거중심의학의 기본적인 개념과 방법론을 개발하고, 집필과 교육을 통해 근거중심의학을 널리 알린 인물로 평가받는다. Sackett은 근거에 대한 비평적평가(critical appraisal)가 중요하며, 객관적인 임상 근거에 못지않게 의사의 경험이나 환자의 가치나 선호도가 근거와 결합되어야 함을 역설하였다. 이러한 관점에서 그가 영국의사협회지(British medical journal, BMJ)에 1996년에 발표한 '근거중심의학: 무엇이 근거중심의학이고 무엇은 아닌가(Evidence based medicine: what it is and what it isn't)'에 제시된

그림 1-2-5. **David Sackett**

"체계적문헌고찰로부터 도출된 가능한 최선의 임상적 근거에, 의사 개인의 임상적 전문지식이나 경험을 통합한 것이 근거중심의학에 바탕을 둔 임상진료"라는 문장은 현재 근거중심의학에 기반한 진료의 핵심을 가장 정확하게 정리한 것이라고 평가받고 있다.

환자의 선호도와 가치를 의료적 의사결정에 반영해야 한다는 것에 대해 Sackett은 비판막성 심방세동(nonvalvular atrial fibrillation) 환자의 치료를 예시로 들고 있다. 심방세동이 있는 환자들은 혈전이 발생하여 뇌졸중 등의 질환이 발생하기 쉬우므로, 이를 예방하기 위해 혈전방지목적으로 항응고제인 와파린(Warfarin)을 흔히 사용한다. 그런데 항응고 효과로 인해, 와파린 사용의 부작용인 출혈이 발생할 수도 있다. 이러한 상황에서 의사는 출혈을 우려하여 와파린을 사용하지 않는 것을 선택할 수 있지만, 환자의 경우 출혈보다는 뇌졸중이 발생할 것을 4배나 더 위험하다고 생각하고 있기 때문에, 와파린 복용에 의한 이익과 위해

를 종합해서 생각해보면 환자에게 와파린을 투여하는 것이 투여하지 않는 것에 비해 상당히 도움이 된다고 판단할 수 있다. Sackett은 이와 같이 임상 근거와 환자의 선호를 동시에 고려하여 의료적인 결정을 내리는 것이 타당하다고 설명하고 있다.[21]

Iain Chalmers (1943−현재, 그림 1-2-6)

그림 1-2-6. Iain Chalmers

Iain Chalmers는 영국 태생의 의사이자, 보건의료연구자이다. 그는 2000년 보건의료에 대하여 기여한 공로를 인정받아 기사(knight bachelor)로 서임되었다.[22] 그는 UN에서 파견한 의사로 가자지구의 팔레스타인 난민을 진료하던 중 경험하였던 일을 상기하면서 당시 만연한 임상의학의 문제점을 지적한 바 있다. 바이러스 질환인 홍역에 걸린 아이들에게 항생제를 사용하지 말라고 학교에서는 배웠지만, 당시에 이미 "설파닐아미드(sulfanilamide)와 같은 항생제가 환자들에게 효과가 있다"라는 무작위대조군연구가 6건이나 존재했다고 회고하고, 이처럼 의학계에서 이용 가능한 유효 근거들이 무시되는 상황이 문제라고 언급하면서, 의학교육과정을 통해 배운 지식들 중 어떤 것들은 환자를 이롭게 하는 것이 아니라 해를 끼치거나 심지어 사망에 이르게 할 수 있음을 깨닫고 근거를 수립하는 일에 헌신하게 되었다고 한다.[23]

가자 지구에서 돌아온 그는 Cochrane을 만나고 Cochrane이 집필한 책을 읽고 난 후 임상연구를 통한 근거의 수립이 중요함을 깨닫게 되었다. 이후 지속적으로 체계적문헌고찰을 통한 근거의 평가를 시행하기 위하여 1992년 영국 코크란 센터를 설립하고 초대 대표로 취임하였는데, 향후 이 조직이 전세계적으로 확대되어 지금의 코크란 연합을 형성하게 되었다.[22] 또한 그는 연구가 수행되고도 결과를 충실히 보고하지 않는 출판편향(publication bias)에 대해서 언급하고, 이를 줄이기 위해 모든 연구들이 사전에 등록되어야 한다고 주장하였다. 그 결과 임상연구의 출간을 위해서는 사전에 임상연구 레지스트리(registry)에 등록한 정보를 논문에 제시해야 된다는 현재의 출판 흐름을 도출해내는데 일조하였다.[23] 또한 그는 '치료효과의 검정(Testing treatments)'이라는 책을 통해 치료효과를 평가하는 임상연구가 왜 필요한지, 연구와 관련되어 불확실한 부분이 무엇인지, 양질의 임상연구는 어떠한 특성을 가지고 있는지, 연구로부터 얻은 근거가 임상에 적용될 때 개별 환자의 의료의 질을 어떻게 제고할 수 있는지 등에 대한 내용을 대중적으로 알려 임상연구를 활성화하고, 한편으로는 연구 낭비(research waste)*[24]가 확대되지 않도록 의료인과 대중의 의식을 계도하는 일에 노력을 경주하고 있다.[25]

---

* 연구 낭비란 부적절한 연구설계와 대표성이 상실된 연구대상자 표본, 충분하지 못한 연구대상자 수, 잘못된 분석 방법, 연구결과의 그릇된 해석 등에 의하여 신뢰할 수 없는 연구결과가 양산되거나, 연구는 적절하게 계획되고 수행되었음에도 불구하고 중재의 효과에 대하여 기대에 못 미치는 결과가 도출되었을 때 연구결과의 전체 혹은 일부를 일부러 출간하지 않거나, 논문을 작성하였지만 심사과정 중 출판이 거절되어 연구결과가 공표되지 않은 경우, 혹은 이미 충분히 유사한 연구가 수행되어, 더 이상의 연구를 수행하지 않아도 되는 분야에 대해 중복되게 연구를 시행한 경우 등을 통틀어 지칭한다. Chalmers는 현재 수행되는 연구의 85%가 이러한 연구 낭비에 해당된다고 추정하였으며, 이로 인하여 실제 검증이 필요한 분야에 연구비가 투입되지 못하기 때문에, 연구 낭비를 줄이기 위하여 노력해야 한다고 주장한다.

SECTION

03

비뚤림

축구경기가 시작되기 전, 주심과 양팀의 주장은 중앙선에 모여 동전던지기를 한다. 심판은 각 팀의 주장에게 동전의 앞면과 뒷면 중 어디를 선택할지 물어본 후, 동전을 던진다. 동전던지기에서 이긴 팀은 전반전에 공격할 진영이 어디인지를 선택하고, 진 팀은 전반전에 킥오프를 한다. 축구에서 동전던지기는 무승부로 경기가 끝난 뒤 승부차기에서 선공을 결정할 때도 시행된다.[26] 축구에서 동전던지기를 시행하는 이유는, 축구경기의 시작인 공격과 수비의 순서 결정단계에서부터 양 팀에 공정한 기회를 주기 위함으로, 동전의 앞면과 뒷면이 나올 확률은 1/2이라는 전제하에 성립되는 행위임을 직감적으로 이해할 수 있다.

그런데 동전의 앞면과 뒷면이 나올 확률은 언제나 1/2이 되는가? 동전을 던질 때 앞면과 뒷면이 상하로 회전하지 않고, 양 옆으로만 흔들리게 던지면, 처음 위를 향한 면이 그대로 떨어지게 된다고 하며, 실제로 그런 기술은 존재하는 것 같다.[27] 이렇게 원하는 면이 나오게 동전을 던질 수 있는 심판이 있다고 가정해보자. 양팀의 주장은 각각 자신의 팀이 전반전에 공격할 방향을 고를 수 있는 확률이 1/2이라는 기대로 중앙선에 모였을 것이다. 그러나 심판 마음대로 동전의 앞면 혹은 뒷면이 나오게 할 수 있으므로, 동전의 앞면 혹은 뒷면이 관측될 비율이 실제로는 1/2에 근사하지 않을 것이다.

어떤 의학연구의 결과를 얼마나 신뢰할 수 있을까? 의학연구결과를 검토하는 연구자나 독자(아마도 의사)는 근거의 확실성을 평가하기 위해서 먼저 해당 연구가 가지고 있는 오류(error)에 대하여 이해해야 한다. 사전적으로 오류라는 말은 실제가 아닌 잘못된 상황을 지칭하거나 잘못된 인식을 바탕으로 어떤 행위를 시행하는 것을 의미한다.[28] 그런데 연구나 실험에 관하여 오류라는 단어가 사용된 경우에는 연구를 통해 얻은 결과가 실제로부터 멀어지게 만드는 연구설계 및 수행, 분석 중의 일탈 혹은 그 결과 나타나는 편차를 지칭한다. 예를 들어보자. 한국에 방문하는 외국인 중 일본인의 연(월) 평균 비율을 조사하기 위해 5월 초의 어느 날 명동 거리를 지나는 외국인의 국적을 조사한 연구가 있다고 가정해 보자. 조사 결과 80%의 외국인이 일본인이었을 때, 이 결과는 얼마나 신뢰할 만할까? 조사한 당일이 일본의 황금연휴기간으로 연휴를 즐기기 위해 방문한 일본인 관광객의 수가 일년 중 가장 많은 시기였다고 한다면, 이 조사결과는 실제의 연(월) 평균 외국인 관광객 방문 비율을 잘 반영한다고 볼 수 없을 것이다. 이러한 상황을 연구에 대입해 보면, 실제에 비해 결과값의 과대 혹은 과소 추정이 발생하는 경우 연구결과에 오류가 있다고 판단할 수 있다.

그런데 오류는 무작위오류(random error)와 체계적오류(systematic error)로 구분할 수 있다. 무작위오류란 연구를 시행하기 위하여 특정 샘플을 추출하였을 때 우연히 발생하는 것으로, 일반적인 경우 연구대상자의 수가 많으면 오류의 크기도 줄어든다. 이와 대비되는 개념으로 체계적오류란 연구대상자의 수와 무관하게 연구설계나 수행과 관련하여 잘못된 부분이 있을 때 발생하며, 체계적오류가 있을 때 연구결과가 일관되게 과대 혹은 과소 추정되게 된다. 이러한 체계적 오류를 비뚤림(bias)라고 부른다. 연구유형에 따라 다양한 비뚤림의 종류가 있으나, 본 장에서는 무작위대조군임상연구의 계획과 수행의 관점에서 발생가능한 비뚤림의 유형에 대해서 살펴보고, 비뚤림위험평가(risk of bias assessment)에 대해서 소개하고자 한다.

무작위대조군임상연구에서의 비뚤림

무작위대조군임상연구의 진행 과정 중 연구대상자의 무작위배정의 단계, 중재의 실행 단계, 효과의 평가 단계, 분석 단계, 결과의 보고 단계 등 연구의 전 과정에서 비뚤림이 영향을 끼칠 수 있다. 그림 1-3-1은 무작위대조군임상연구의 진행 과정을 도식화한 것으로, 각 단계에 발생가능한 비뚤림의 종류를 표시하고 있다. 연구대상자의 모집과 등록의 단계에서도 선정제외기준을 명확하게 설정하지 않았거나, 설령 적절한 기준을 마련하였다고 하더라도 대상자의 연구참여를 결정하는 연구자가 부적절하게 판단하여 연구대상자가 모집이 된 경우, 적절한 대상자를 연구에 참여시키지 못함으로 인하여 비뚤림이 발생할 수 있다. 하지만 출간된 문헌을 바탕으로는 이 부분이 적절한지에 대하여 객관적으로 평가할 수 없기 때문에, 일반적으로는 비뚤림위험을 평가하는 영역으로 포함하여 검토하지는 않는다.

무작위대조군임상연구의 장점은 연구결과에 영향을 미칠 수 있는 사전에 알려진 혹은 알려지지 않은 요인들이 치료군과 대조군 사이에 원칙적 균형을 이루게 하기에 적절한 연구방

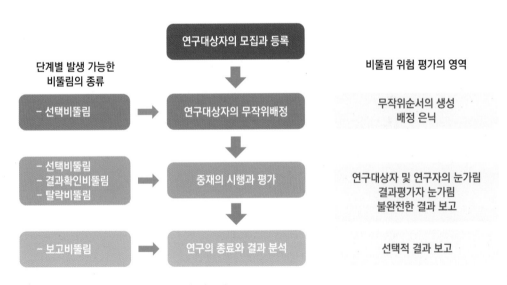

그림 1-3-1. 임상연구의 수행 단계와 비뚤림

법이라는 점이다.[*5] 이를 통해 중재의 효과를 평가하기 위해 시행된 연구의 과정 중 비교되는 두 집단 간에 중재가 제공되기 전 다양한 요인들이 서로 비슷하게 분포하게 되어, 집단 간의 정당한 비교가 가능하게 할 수 있다. 그런데 연구대상자의 무작위배정이 적절하게 시행되기 위해서는 무작위배정의 순서가 컴퓨터 프로그램을 이용한 난수의 발생과 같이 적절한 방법으로 생성되어야 하며, 생성된 배정의 순서가 실제 적용되기 전에 연구자와 연구대상자 모두에게 공개되지 않도록 적절한 방법으로 가려져 있어야 한다. 예를 들어, 빛이 투과하지 않는 봉투에 배정결과가 넣어진 상태로 보관하고 실제 배정 시 봉투를 개봉하는 방법을 사용하거나, 치료 및 평가와 무관하게 중앙에서 배정의 순서를 관리하고, 실제 배정 시에 전산이나 전화를 이용하여 배정 순서가 공개되게 하는 배정은닉의 방법을 활용해야 한다. 무작위순서의 생성과 배정은닉에 문제가 있는 경우 해당 연구의 무작위배정 과정은 신뢰할 수 없게 되고, 연구자의 주관적인 의견에 따라 연구대상자를 치료군과 대조군으로 배정할 수 있게 되어 선택비뚤림(selection bias)이 발생할 수 있다.

무작위배정 후 연구가 진행되는 과정, 곧 중재를 시행하고, 임상효과를 평가하는 동안에 다양한 비뚤림이 발생할 수 있다. 연구대상자 혹은 연구자가 어떤 중재를 받고 있는지 알게 된다면, 곧 중재에 대한 눈가림(blinding)을 시행하지 않거나, 눈가림이 잘 되지 않는 경우, 연구대상자는 치료 전에 배정된 중재에 대한 기대감으로 인해 더 좋은 효과가 나타날 수 있고, 연구자의 경우에도 치료군의 효과가 더 크게 발휘되도록 조작할 수 있는 가능성이 있어, 실행비뚤림(performance bias)이 발생할 수 있다. 또한 임상연구에서 중재의 효과를 평가하는 평가자의 눈가림이 보장되지 않는다면, 치료군에 유리하게 치료효과를 조작하여 기록할 우려가 있기 때문에 결과확인비뚤림(detection bias)이 발생할 수 있다. 그리고 연구 도

---

* Jeremy Howick은 무작위대조군임상연구가 관찰연구에 비해 교란요인(연구결과에 영향을 미칠 수 있는 요인)을 통제하는데 우월하지만, 모든 요인을 조절하는 것은 불가능하며, 연구대상자 수가 충분히 크지 않은 경우 군간의 불균형이 발생할 수 있음을 들어 이러한 주장에 대하여 반박하고 있음을 밝혀 둔다.[5]

중 여러가지 이유로 인하여 연구대상자의 탈락이 발생할 수 있으며, 이들의 자료를 누락하고 분석하지 않을 수 있다. 이 경우 분석에 포함되지 않은 대상자의 자료에 의해 연구결과가 실제를 반영하지 못할 가능성이 있어, 탈락비뚤림(attrition bias)의 가능성도 발생할 수가 있다.

다음으로 연구가 종료된 후, 수집한 자료를 분석하고 결과를 보고하는 과정에서도 비뚤림이 발생할 수 있다. 임상연구를 수행할 때는 일반적으로 한 가지의 건강결과(outcome)만을 평가하지 않고, 다양한 평가변수들을 측정한다. 그런데 해당 중재가 모든 종류의 건강결과에 대하여 긍정적인 효과를 발휘하는 것은 아니다. 이 경우 연구자들은 유효한 결과만을 보고하고 싶은 유혹에 빠지기 쉽다. 만일 연구자가 유효한 결과만을 보고하고, 유효하지 않은 부정적 결과들을 누락시킨다면, 중재의 긍정적인 부분이 과다하게 부각되어 보고비뚤림(reporting bias)이 발생할 가능성이 있다.[29]

이러한 비뚤림들이 실제로 임상연구의 결과에 영향을 끼친다는 증거가 있는가? 브리스톨 대학의 Matthew Page는 무작위대조군연구들의 방법론적인 측면에서의 비뚤림에 대해서 연구한 메타-역학연구(Meta-epidemiology)를 통해, 비뚤림이 무작위대조군연구로부터 얻어진 결과들에 어떤 영향을 끼치는지 분석하였다. 그 결과 무작위번호의 생성 및 배정은닉의 측면에서 부적절하게 수행되었거나, 적절한지 분명하지 않은 연구의 경우, 적절하게 수행된 연구에 비해 과장된 중재의 효과추정치 값이 도출되며, 연구대상자 및 평가자 눈가림이 부적절하게 수행되었거나, 적절한지 분명하지 않은 연구에서 더 큰 효과추정치가 제시되고 있음을 보고하였다.[24] 이처럼 비뚤림은 실제로 무작위대조군연구의 결과에 영향을 끼치는 요인이므로, 연구결과를 해석할 때 비뚤림이 있는지 여부를 조사하는 것은 그 연구결과를 얼마나 신뢰할 수 있는지 판단하는데 중요한 작업이다. 그렇다면 비뚤림위험은 어떻게 평가할 수 있을까? 본 SECTION 03에서 언급한 비뚤림의 종류들은 코크란 연합의 비뚤림위험평가(risk of bias assessment)에서 언급하는 내용이며, 비뚤림위험평가는 현재 가장 많이 통용되는 비뚤림을 평가하는 도구이므로 간략히 언급한다.[29]

비뚤림위험평가는 무작위대조임상연구의 과정 중 비뚤림이 발생할 수 있는 영역 곧 무작위배정 번호의 생성, 배정순서의 은닉, 연구대상자 또는 연구자의 눈가림, 결과평가자의 눈가림, 불완전한 결과 자료, 선택적인 결과 보고와 그 외 연구 별로 특수하게 고려되어야 할 요인들 등 총 7개의 영역을 각각의 무작위대조임상연구에서 평가하도록 권고한다. 각 영역에 대하여 비뚤림위험이 높음(High risk of bias), 비뚤림위험이 낮음(Low risk of bias) 혹은 불확실(Uncertain risk of bias) 세 가지 중 한 가지를 선택할 수 있다. 그 결과 비뚤림위험이 높은 영역들이 많은 연구의 경우, 모든 영역에서 비뚤림위험이 낮은 연구에 비해 결과의 신뢰도가 낮아질 가능성이 높다고 판단할 수 있다.[10, 30]

요 약

연구설계나 수행 상 문제로 인하여 연구결과가 진실에서 멀어지게 만드는 체계적인 오류를 비뚤림(bias)라고 부르며, 임상연구의 신뢰성을 평가하기 위해 비뚤림위험평가를 시행한다.

SECTION 04

체계적문헌고찰

현재 급성심근경색증이 의심되는 상황에서 아스피린(aspirin)을 투여하는 것은 해당 질병의 진료지침에 명시될 정도로 확실한 치료로 인식되고 있다.[31] 그런데 1980년대 이전에는 교과서나 지침에서 아스피린의 사용에 대해 거의 언급하지 않았다고 한다.[32] 그러한 이유는 1974년부터 1980년까지 수행된 여러 건의 무작위대조군연구에서 아스피린을 복용한 군과 위약을 복용한 군 사이에 사망률을 비교해 보았을 때 아스피린을 복용한 군의 사망률이 더 낮았지만, 이들 개별 연구에서는 통계적으로 유의미한 효과가 관찰되지 않았기 때문일

그림 1-4-1. **체계적문헌고찰의 수행 단계** *

---

* 체계적문헌고찰은 기존에 수행된 연구들을 검색하고, 평가하며, 합성하여 근거를 제시하는 2차 연구에 해당한다. 따라서 유관한 모든 연구를 검색할 수 있는 적절한 검색방법, 선정 및 평가방법, 근거의 합성 방법 등이 연구 수행전 구체적으로 정의되어야 하며, 재현성이 담보되어야 한다.

것이다.[33] 당시 아스피린이 위약에 비해 통계적으로 유의한 효과 차이를 보일 수 없었던 것은 실제로 효과의 차이가 없었기 때문이라기 보다는, 아스피린과 위약 사이의 통계적인 유효성을 검증하기에 충분한 연구대상자를 모집하여 연구를 수행할 수 없었기 때문이다.* 그런데 어떻게 지금은 유효성이 확립된 치료로 인정받을 수 있게 되었을까? 아스피린과 위약을 가지고 무작위대조군임상시험을 진행한 개별 연구들을 모두 찾아서, 각각의 연구에서 사망률 관련 자료를 모으고, 이들 자료를 통합해서 분석해본 결과 아스피린을 투여한 군에서 사망률이 낮다는 통계적으로 유의한 결과를 도출해 낼 수 있게 되었기 때문이다.[32] 개별 연구에서 제시할 수 없었던 해답을 연구의 통합을 통해 해결하는 방법이 바로 체계적문헌고찰이라고 이해할 수 있다.

지난 SECTION에서 언급한 것처럼 보건의료영역에서 의료적 의사결정을 위한 최선의 근거를 제시해주는 연구방법이 바로 체계적문헌고찰이라고 할 수 있으며, 일반적으로 근거중심의학에서 가장 높은 근거의 위계에 위치하는 것으로 인식되고 있다. 근거중심의학의 아버지로 일컬어지는 Cochrane은 의학의 각 분야에서 모든 무작위대조군연구들이 정기적으로 업데이트되어 적절하게 통합된 근거의 요약이 부재함에 대해 염려하면서, (체계적문헌고찰을 통한) 유관한 모든 무작위대조군연구의 통합의 필요성을 역설하였고, 이후 그의 뜻을 이어받아 근거중심의학과 관련하여 전 세계적인 네트워크를 구축하고, 가장 강력한 영향력을 끼치고 있는 코크란 연합이 설립되게 되었다. 현대의 의료는 단순히 의사 혼자서 진료 중 모든 사항을 결정한다기 보다는 환자(의료소비자) 및 의료를 둘러싼 다양한 구성원들이 의료 의사결정에 참여하는 것을 지향하기 때문에, 제반 보건 문제를 해결하기 위하여 중재 및 진단기술 등에 대한 객관적인 임상 근거를 중요하게 취급하고 있다. 그런데 매일 엄청난 수의 새로운 무작위대조군연구들이 쏟아져 나오고 있고, 정보를 필요로 하는 사람들 모두가 근거를 탐색하고 평가하며 해석하기 위하여 충분한 능력을 갖추지 못하고 있기 때문에, 임상

---

* 이것은 임상연구의 검정력(power)에 관련된 문제로, 이 책의 PART 03, SECTION 04의 "임상연구와 관련된 통계와 메타분석의 이해" 부분에서 해당 내용을 다루고 있으니 참고하도록 한다.

연구의 결과들이 적절하게 평가되고, 합성되어 소화할 수 있는 형태로 가공되어 제공되어야 한다. 이것이 바로 체계적문헌고찰이 필요한 이유라고 생각할 수 있다.[35]

그러면 체계적문헌고찰이란 무엇인가? 코크란 연합에서는 체계적문헌고찰을 다음과 같이 정의하고 있다.

"체계적문헌고찰이란 특정 연구 질문을 답하기 위하여 사전에 정의된 선정기준에 부합하는 현존하는 모든 근거를 통합하려는 시도이다. 체계적문헌고찰은 비뚤림을 최소화할 수 있도록 선택된 명시적이고 체계적인 방법을 사용하여 의료적인 의사결정에 활용가능한 신뢰할만한 결과를 제공한다".[36]

이러한 정의에 기반하여 체계적문헌고찰에서 몇 가지 특성을 살펴볼 수 있다. 그 첫 번째로 제반 의료 문제는 임상질문(clinical question, PICO)의 형태로 재구성되어 파악된다는 것이다. 임상질문은 당면한 의료 문제를 대상이 되는 인구집단(population, P), 중재(intervention, I), 대조군(control, C), 건강결과(outcome, O)의 형태로 재구성하는 것이다. 두 번째는 임상질문에 의거하여 체계적문헌고찰의 계획단계에서 어떠한 연구를 포함하여 분석할지, 어떤 데이터베이스를 검색할지, 어떻게 근거를 합성할지 등에 대한 명확한 사전계획이 수립되어야 하며, 이것은 재현성이 보장되는 방법이어야 한다는 점이다. 세 번째는 연구와 관련된 모든 문헌을 수집하기 위하여 체계적인 검색방법을 통해 문헌의 검색이 진행되는 점이다. 네 번째는 포함된 개별 연구 질평가(비뚤림위험평가)가 수행된다는 점이다. 체계적문헌고찰에 포함된 개별 연구의 질에 문제가 있는 경우에는 체계적문헌고찰 결과의 신뢰성이 저하되기 때문에 개별 연구의 비뚤림위험을 평가하는 것은 중요하다. 다섯 번째는 포함된 연구들로부터 추출한 자료를 요약하고, 합성하는 방법을 통하여 해당 임상질문에 대한 해답을 제시한다는 점이다. 체계적문헌고찰에서 여러 건의 무작위대조군연구로부터 얻은 자료를 이용하여 통합된 효과추정치(summary effect estimates)를 제공해주는데, 이렇게 근거를 합성하는 통계적 방법을 메타분석(meta-analysis)이라고 한다. 메타분석의 결과 얻어진 통합된 효과추정치는 개

별적인 무작위대조군연구의 결과보다 더 정밀한 값을 제공할 수 있다(그림 1-4-1). [36]

체계적문헌고찰은 중재의 효과를 판정하기 위하여 시행되는 경우가 많지만, 진단 방법의 정확도를 표준진단방법과 비교하여 검사의 유효성을 평가하기 위한 진단검사의학의 체계적 문헌고찰, 설계나 방법론적인 관점에서 연구들을 비교하기 위해 시행되는 메타-역학연구, 동일한 질환에 대하여 서로 다른 중재들의 임상적인 근거를 통합하거나 동일한 중재가 유발할 수 있는 다양한 형태의 부작용 또는 다양한 질환에 대한 효과를 전체적으로 요약할 목적으로 수행되는 체계적문헌고찰에 대한 개괄적고찰(overview of systematic reviews) 등 다양한 형태로 시행되고 있다.[37] 이와는 별도로 체계적문헌고찰의 방법을 이용하여 관심이 있는 주제에 대하여 이미 발표된 연구(지식)의 범위와 수를 포함하여 근거의 현황에 대하여 조사하고, 근거가 부족한 부분을 찾아내어 향후 연구방향을 제시할 목적으로 수행되는 주제범위 문헌고찰(scoping review)과[38] 무작위대조군임상연구를 포함하여 인간대상연구를 계획하기 위해 다른 연구에서 자주 활용되고 있는 평가 도구의 현황 혹은 선정제외기준 설정 등의 연구 설계를 위한 참고자료를 수집하기 위해서 체계적문헌고찰의 문헌 검색 방법이 활용되는 등[39] 체계적문헌고찰은 쓰임새가 많다.

체계적문헌고찰 예시*

제목		성인의 급성 발목염좌에 대한 침치료의 효과[40]
		설명 보통 체계적문헌고찰의 제목은 어떤 질환(증상, 환자군)에 대한 어떤 중재의 효과 형식으로 표현된다.
배경		급성 발목염좌는 한 개 이상 발목 인대의 갑작스런 손상으로 정의한다. 일반 대중과 선수들에게 가장 빈번하게 발생하는 근골격계 외상 중 하나인 질환이다. 중국과 한국같은 몇몇 국가에서는 발목염좌에 대한 단독 치료 혹은 표준 치료와 병행한 2차 중재로써 침이 빈번하게 사용된다.
		설명 보통 체계적문헌고찰의 배경에는 해당 질환의 개요, 표준 치료의 종류와 현황, 평가하려는 중재의 개요 및 기전 등 해당 리뷰에서 다루는 내용의 배경을 설명한다.
목적		성인에서 급성 발목염좌에 침치료의 효과(이득과 위해 모두)를 평가해보는 것이 이 리뷰의 목적이다.
		설명 보통 PICO로 표현되는 임상질문을 포함하여 해당 리뷰의 연구목적을 기술한다. 해당 리뷰가 내가 관심있는 중재와 인구학적인 특성을 반영한 리뷰인지 알아보기 위하여 이 부분을 잘 검토해야 한다.
연구방법	**검색방법**	코크란 골,관절,근 손상 그룹의 전문 등록 데이터베이스(Cochrane Bone, Joint and Muscle Trauma Group Specialised Register, 2013년 5월까지), 코크란 대조 임상시험의 중앙 등록 데이터베이스(Cochrane Central Register of Controlled Trials, 코크란 라이브러리 2013년 4호까지), Medline 데이터베이스(1948년부터 2013년 5월 2주까지), 중국 국립 지식 기간구조 데이터베이스(CNKI, 1994년부터 2013년 8월 4주까지), 간호 및 유관 보건 문헌에 대한 누적 색인 데이터베이스(Cumulative Index to Nursing and Allied Health Literature, 1937년부터 2013년 5월까지), 유관 보완 의학 데이터베이스(Allied and Complementary Medicine Database, 1985년부터 2013년 5월까지), 일본 과학 링크 데이터베이스(Science Links Japan, 1996년부터 2013년 8월 4주까지), 여러 종류의 한국 내 의학데이터베이스(2013년 8월 4주까지), 세계보건기구 국제 임상시험 등록 플랫폼 데이터베이스(WHO ICTRP, 2013년 8월 4주까지), 연구에 포함된 임상시험의 참고문헌과 학회 초록집 등이 검색되었다.
		설명 체계적문헌고찰의 연구방법에 관한 부분에는 검색하는 데이터베이스나 자료(검색일자 포함), 선정제외기준, 자료의 수집과 분석, 질평가 방법 등이 포함된다. 가능한 현존하는 모든 문헌의 검색을 위해 2개 이상의 데이터베이스 검색과 회색문헌(gray literature, 미출간 자료) 검색이 추천되며, 2인 이상의 리뷰어가 검색과 문헌의 선정, 추출을 진행하여 결과를 비교하도록 권장한다.

---

* 본 체계적문헌고찰의 초록은 코크란 체계적문헌고찰인 'Acupuncture for treating acute ankle sprains in adults'에서 인용하여 내용을 요약하였다.[40] 체계적문헌고찰의 구조와 결과의 해석을 위한 구체적인 방법은 한국보건의료연구원에서 간행된 'NECA 체계적문헌고찰 메뉴얼'[10]과 'Cochrane handbook'[29]을 참고한다.

연구방법	선정기준	본 리뷰에서는 급성 발목염좌가 발생한 성인을 대상으로 수행된 무작위대조군연구와 준-무작위대조연구가* 포함되었다. 이 리뷰에서는 다양한 형태의 침치료를 대상중재로 포함하였는데, 수기침, 전기침, 레이저침, 약침, 비투과성 경혈자극과 뜸이 모두 연구에 포함되었다. 대조군의 중재로는 무처치 대조군이나 플라세보 혹은 다른 비수술적 표준치료가 포함되었다.
	자료수집및분석	두 명의 리뷰어가 독립적으로 검색된 결과를 스크리닝하고, 연구의 선정과 질평가, 자료의 추출을 시행하였다. 이분형자료의 경우 위험비(Risk ratio, RR), 연속형자료의 경우 평균차(Mean difference, MD)로 표시하였다. 메타분석의 경우 고정효과모형을 사용하여 분석하였다.

설명 체계적문헌고찰에 포함되는 메타분석 방법의 경우, 분석을 위하여 구체적으로 어떠한 건강결과(평가변수)를 포함할 것인지, 어떠한 모형(고정효과모형 대 변동효과모형)을 사용하여 분석할 지, 통계적인 이질성 및 출판비뚤림의 평가 방법, 하위군분석 및 민감도분석 등은 어떻게 시행할 것인지에 대하여 자세히 기술한다.

주요 결과	이 리뷰에는 총 20건의 연구가 포함되었다. 17건의 연구는 중국에서 수행되었다. 모든 연구에서 눈가림의 결여로 인한 높은 비뚤림 위험이 있음으로 평가되었다….(중략) 표준치료에 침치료를 병행한 군과 단독 표준치료군을 비교한 연구는 총 8건이었고, 이 중 유효율 자료가 이용 가능한 연구는 7건이었다. 여기에 포함된 대부분의 연구들에서 병행치료가 단독치료보다 더 유효하다는 결과를 보고하였다. 침치료를 시행한 군과 침치료를 시행하지 않은 군을 비교한 8건 연구의 설명적 메타분석에서는 침치료가 유효하다는 결과를 보여주고 있지만, 해당 결과는 포함된 연구들 사이의 이질성과 비정밀한 통합된 효과추정치 값을 제시하였다(RR 1.32, 95% CI 0.95 to 1.84; p-value=0.1, I^2=98%)….(중략)

설명 체계적문헌고찰에서 결과의 첫 번째 단락에는 검색을 통해 포함된 연구의 수(분석대상자 수) 및 연구 특성과 비뚤림위험 등에 대한 분석이 포함되어 있다.

결과에서 눈여겨보아야 할 부분은 메타분석 내용으로, 보통 통합된 치료효과추정치(RR, MD 등)와 95% 신뢰구간, I^2값(이질성평가) 등이 체계적문헌고찰에 포함되어 있다. 메타분석의 결과를 해석할 때에는 먼저 분석의 대상이 되는 건강결과의 종류가 무엇인지 확인한다. 만일 이분형변수인 경우 통합된 요약효과추정치 값의 95% 신뢰구간이 1을 포함한다면 치료군과 대조군 사이에 통계적으로 유의한 차이가 없다고 해석할 수 있다. 연속형변수의 경우에는 95% 신뢰구간이 0을 포함한다면 유의한 차이가 없다고 해석할 수 있다. 자세한 사항은 PART 03의 '메타분석의 이해' 부분을 참조하기 바란다.

---

* 준무작위대조연구(quasi-randomized controlled trials)

무작위대조군연구의 경우 치료군과 대조군의 배정순서가 무작위로 생성되어, 연구자와 연구대상자가 어느 군에 배정되게 될지 예측할 수 없도록 설계되어 있다. 만일 어떤 연구에서 대상자의 생년월일, 병원의 등록번호 등을 이용하여, 짝수인 경우 치료군, 홀수인 경우 대조군으로 배정한다면, 치료군과 대조군에 배정되는 대상자의 수는 균형을 이루게 배정이 가능하다. 하지만 대상자가 어느 군에 배정될 지 사전에 예측이 가능하기 때문에 엄밀한 의미에서 무작위배정에 성공했다고 볼 수 없다. 이러한 경우 준무작위대조연구라고 분류한다. 치료군과 대조군을 번갈아 배정하는 경우도 준무작위대조연구에 분류한다.

저자의 결론	이질성이 큰 무작위대조군임상연구와 준-무작위대조군연구들로부터 얻어진 현재 이용 가능한 연구들을 종합해 보았을 때, 침치료의 효과나 안전성에 대한 신뢰할만한 근거를 확인할 수 없었다. 침의 급성 발목염좌에 대한 유효성과 안전성을 밝히기 위해 향후 비뚤림위험이 낮은 대규모 무작위대조군연구를 시행하여야 한다.
	설명 체계적문헌고찰의 결론은 결과의 요약과 이를 바탕으로 임상진료를 위한 제안 및 향후 연구가 필요한 부분에 대한 제안으로 구성된다.

체계적문헌고찰과 메타분석은 특정 임상질문을 해결하기 위해 현존하는 이용 가능한 모든 연구 결과의 검색과 선택, 분석을 통해, 요약 및 통합된 근거를 제공하므로 보건의료영역에서 의사결정을 위한 최선의 근거로 활용되고 있다.

05 임상진료지침

"매일매일 11편의 체계적문헌고찰과 75건의 무작위대조군연구가 출간되고 있으며, 이러한 추세가 둔화될 기미는 보이지 않는다. 그렇지만 우리에게는 하루에 오직 24시간만 있을 뿐이다." 2010년에 코크란 연합의 설립자 중 한 사람인 Iain Chalmers 등이 발표한 자료에서, 양산되는 의료정보를 의료인이 개인적인 수준에서 업데이트하는 것은 불가능하다는 것을 이와 같이 표현한 바 있다.[35] 새로운 임상시험과 체계적문헌고찰 등의 최신 연구결과가 임상에 시의적절하게 적용되지 못하는 상황에 대하여 지속적으로 문제가 제기되고 있다. 전문가 집단의 참여를 통해 임상 각과와 관련된 질환의 진단, 치료, 예방 등에 대한 업데이트된 연구결과를 수집하고 근거를 합성, 요약한 자료를 바탕으로 의료적 의사결정 시 참고할 수 있는 권고문을 포함한 자료가 임상의들에게 제공될 때, 최신 임상 근거와 실제 임상 사이의 차이(gap)를 줄일 수 있다.[32]

임상진료지침은 '주어진 임상환경에서 적절한 의료를 위하여 임상의와 환자의 결정을 돕기 위해 체계적으로 개발된 문서'라고 정의할 수 있다.[41-42] 새로운 의료기술이 쏟아져 나오고, 의학지식과 임상이 이에 발맞추어 급격히 변화하기 때문에, 의사면허의 취득만으로는 임상 진료의 질을 보장하기 어렵다는 인식이 확대되고 있다. 또한 의료를 국가가 보장해야 되는 공공의 영역으로 인식하면서 한정된 의료자원의 부적절한 사용과 남용을 방지하고 이를 효율적으로 활용해야 한다는 목소리가 높아지고 있다. 이러한 사회적 요구를 충족시키기 위한 기본 요건으로서 임상의들 사이에서 질병에 대한 진단 및 의료 시술의 표준이 필요하다고 인식하기 시작했다.[43] 이에 따라 국가차원의 중앙기구(예를 들어 영국 국립보건임상연구원, The National Institute for Health and Care Excellence, NICE 등)에서 직접 임상진료지침을 개발하거나, 또는 학회 등 다양한 주체를 통해 개발하게 하고 중앙에서 이들을 조정하는 방식으로(예를 들어 미국의 국립지침정보유통기구, National Guideline Clearinghouse, NGC 등) 진료지침을 개발하고 보급하고 있다.[44] 국내에서는 임상진료지침정보센터[45]와 국가한의 임상정보센터[46]에서 진료지침의 개발을 지원하고, 개발된 진료지침에 대한 정보를 제공하고 있다.

진료지침은 이전에는 전문가 의견에 전적으로 기반하여 작성되었으나, 투명하고 객관적으로 최선의 근거를 바탕으로 하여 지침이 개발되고 권고가 제시될 수 있도록 최근에는 대부분의 개발자 그룹에서 근거중심의학의 방법론을 채택하고 있다. 특히 진료지침의 개발그룹에서는 지침에 담겨질 중재의 효과 및 안전성, 진단법 등에 대한 근거를 수집하기 위하여 이미 출간된 체계적문헌고찰을 이용하거나, 직접 체계적문헌고찰을 수행한다. 그러나 체계적문헌고찰의 결과는 근거에 대한 내용만을 담고 있으며 해당 중재를 임상에 적용하기 위해서 고려해야 될 비용 및 이득과 위해의 균형, 진료현장 상황에 대한 고려가 들어가 있지 않다. 그렇기 때문에 해당 중재를 임상현장에 적용할지 말지에 대한 권고의 내용을 담기에는 부적절하다. 이러한 문제를 해결하기 위해 진료지침 개발자들은 GRADE의 방법론을 이용하여 합성된 근거를 신뢰할 수 있는 정도, 곧 근거수준과 권고등급을 결정하고, 이에 근거하여 권고문을 작성한다.[9] GRADE에서 제시하는 근거수준(quality of evidence)은 근거를 생성하기 위하여 수집된 임상연구의 설계와 개별적인 연구의 질, 근거의 양, 비일관성, 비직접성 등의 요인을 종합하여 판정된다. GRADE의 평가 방법에 따라 근거수준을 평가하면, 체계적문헌고찰을 통해 합성된 근거의 수준을 높음(합성된 근거에 대하여 추후 연구에 의해 새로 계산될 통합된 효과추정치*에 대한 확신 정도가 바뀔 가능성이 매우 낮음), 중등도(추후 연구에 의해 새로 계산될 통합된 효과추정치의 확신 정도에 중요한 영향을 미칠 것이며 추정치가 바뀔 수도 있음), 낮음(추후 연구는 통합된 효과추정치의 확신 정도에 중요한 영향을 미칠 가능성이 매우 크며 향후 연구를 통해 추정치가 바뀔 가능성이 높음), 불충분(관련한 연구가 전혀 없거나 결과에 대한 근거가 너무 약해서 결론을 내릴 수 없음)으로 평가할 수 있으며, 이러한 GRADE의 근거수준을 참고하여 해당 근거에 대한 신뢰도를 파악할 수 있다.[9]

진료지침에서 가장 중요한 부분은 치료 중재 및 진단 등에 대한 권고문(recommendation)이다. 권고문은 해당 지침이 적용될 수 있는 의료 상황하에서 질환의 진단 및 이를 위한 검사, 치료를 위한 중재, 증상의 평가 방법 등 임상 진료 중 의료적 의사결정이 요구되는 항목들에 대하여 합성된 근거와 임상적인 중요성을 바탕으로 작성된다. 각 권고문은 권고 등급(strength of recommendation)에 따라 권고의 강도와 방향이 달라지며, GRADE group에서는 크게 4가지 항목 곧 이득과 위해 사이의 균형(이득이 위해에 비하여 클수록 강하게 권고함), 근거의 질(근거수준이 높을수록 강하게 권고함), 해당 권고가 사용되는 환경과 사용하는 사람(의료인, 환자 등)의 가치나 선호도, 비용(해당 권고를 시행하는데 비용이 많이 들수록 강하게 권고가 내려질 가능성이 낮음)을 종합적으로 고려하여 권고등급을 결정한다.[9] 권고등급은 진료지침을 개발하는 주체에 따라서 각 등급의 의미와 표기법이 달라지기도 하지만, 해당 중재와 진단법 등의 사용을 강하게 권고할 것인지, 약하게 권고할 것인지, 사용하지 않을 것을 강하게 권고할 것인지, 약하게 권고할 것인지 등으로 구분되며, 권고문은 권고등급에 기반하여 작성된다.

진료지침의 개발은 일반적으로 해당 진료지침에서 다루는 질환이나 중재의 전문가(의료인, 전문의), 방법론 전문가(체계적문헌고찰 연구자, 의학정보검색을 위한 전문 사서, 통계학

---

* 통합된 효과추정치(summary effect estimates): 메타분석을 통해 개별 연구로부터 치료군과 대조군 사이의 효과의 차이(효과크기)를 통합하고 합성하여 해당 중재의 임상적 효과나 진단의 정확도 등에 대하여 추정하여 제시하는 단일한 값으로 자료의 종류에 따라 이분형자료(예, 아니오 둘 중 하나로 결과를 분류할 수 있는 자료)의 경우 상대위험도나 오즈비로, 연속형자료(연속적인 수치로 제시할 수 있는 자료)의 경우 평균차 혹은 표준화된 평균차 등으로 제시된다.

자 등), 의료소비자(환자) 등 해당 진료지침과 관련된 다양한 집단의 구성원들이 모여서 다학제적 팀을 구성하여 개발한다. 일단 개발된 이후에는 동료 집단이나 자문위원회 등의 검토를 거친 후, 다양한 분야의 전문가들로 구성된 패널에게 지침의 내용에 대하여 얼마나 동의하는지 설문을 진행하고, 일치도를 델파이(delphi) 방법*등을 이용하여 조사하여, 공식적으로 합의를 도출하고, 이를 바탕으로 확정된 지침이 관련 학회등의 인증을 받은 후에 공식적으로 발표된다. 또한 진료지침은 임상 근거에 기반하기 때문에, 새로운 연구가 출간되어 지침의 내용이 바뀌어야 할 필요가 있을 경우 또는 업데이트 주기에 맞추어 갱신된다.

---

* 델파이(Delphi) 방법은 전문가들 사이 특정한 사안에 대한 각자의 의견을 대면 회의 또는 이메일 등을 통한 설문 등을 통해 취합한 후 서로의 의견 차이에 대하여 정보를 공유하고, 반복적으로 의견을 수렴, 조정하는 과정을 거쳐서 합의를 도출하는 방법을 의미한다.

임상진료지침의 권고문 이해하기

제목	알츠하이머병 한의표준임상진료지침의 침구 치료 [46, 47] *
	설명 지침은 보통 개발방법론, 질환의 개요, 권고사항, 부록 등으로 구성되며, 권고문은 권고사항 안에 포함되어 있다.

임상 질문	알츠하이머병 환자에게 표준약물치료와 침구 치료를 병용하는 것은 단독 표준약물치료에 비해 인지기능을 개선시키는가?
	설명 지침의 임상질문은 권고를 제공하기 위하여 설정되며, 질환(population), 중재 (intervention), 대조군(comparator), 건강결과(outcome) 등의 항목(PICO)으로 구성된다.

결과 (결과중요도)	총 환자수 (문헌수)	근거수준 (GRADE)	비교위험도	예측되는 절대효과(95% CI)		비고
				대조군	중재군	
주관적 호전 여부 (중요)	1,302명 (20건의 RCT 포함)	낮음 (Low)	RR 1.3 [1.11, 1.46]	1,000 명당 246명	1,000명당 320명 (273명부터 359명까지)	명수가 많을수록 더 나은 효과를 의미

RCTs: Randomized controlled trials (무작위대조군임상연구)
RR: Risk ratio (상대위험도)
CI: Confidence interval (신뢰구간)

결과 요약표

설명 지침에서 결과요약표는 권고안을 작성하기 위하여 유관 임상연구들로부터 합성한 근거를 이해하기 쉽게 요약하여 제시한 표이다. 결과요약표에는 보통 여러 종류의 건강결과를 포함하고 있으며, 보통 7가지 이내의 결과를 제시한다. 첫 번째 행에는 관심있는 건강결과와 그 결과의 중요도를 표시하며, 다음 행에는 근거 합성에 포함된 문헌 수와 환자의 수, 그 다음 행에는 GRADE 방법을 이용하여 제시한 근거수준을 표시한다. 근거수준은 높음(high), 중등도(moderate), 낮음(low), 불충분(insufficient) 등으로 구분되며, 높을수록 해당 근거의 신뢰도는 높아진다. 그 다음 행에는 비교위험도 값이 제시되며, 예시에서는 치료군에서 유효(혹은 위험)한 결과가 발생하는 비율과 대조군에서 유효(혹은 위험)한 결과가 발생하는 비율의 상대적인 비를 의미하는 상대위험도(relative risk)가 제시되어 있다. 예측되는 절대효과 항목은 대조군의 중재를 적용했을 때와 중재군의 중재를 적용했을 때 1,000명의 대상자를 관찰한다고 가정하면, 어떤 사건이 발생할 대상자의 수를 각 군별로 예측한 값으로, 이 예시에서는 인지기능의 개선을 보고한 대상자의 수가 대조군에서는 1,000명당 246명이고, 중재군에서는 320명으로 중재군에서 더 우호적임을 표시한다.

---

* 본 예시는 필자가 가상으로 작성한 것임을 밝혀 둔다.

권고문

권고내용	권고등급/근거수준	참고문헌	임상질문
알츠하이머병 환자에게 표준약물치료와 침치료의 병용을 고려해야 한다.	B/Low	1-20	알츠하이머병 환자에게 표준약물치료와 침구 치료를 병용하는 것은 단독 표준약물치료에 비해 인지기능을 개선시키는가?
알츠하이머병 환자의 인지기능 개선을 위해 침구 치료를 시행할 때, 족삼리, 대추, 심수, 내관 등 경혈의 선택을 우선적으로 고려할 수 있다.			

설명 진료지침에서 권고내용은 가장 중요한 부분이다. 권고내용은 근거수준과 권고등급에 따라서 작성된다. 해당 권고를 내리기 위해 참고한 자료나 임상질문 등도 같이 제시되며, 지침이 적용되는 환경이나 지침 적용 시 고려해야 할 점 등을 언급하고 있으므로 임상에서 활용 시 참고하도록 한다.

요 약

　업데이트된 최선의 임상근거를 바탕으로 진료현장에서 활용할 수 있도록 특정 질병에 대한 진단과 치료에 대한 최소한의 권고를 담고 있는 것이 임상진료지침이다. 지침의 권고문은 근거수준과 권고등급을 바탕으로 작성되며, 지침이 적용되는 환경을 고려하여 활용되어야 한다.

06
근거중심의학에 대한 비판과 미래

사실 근거중심의학에 대한 비판은 근거중심의학이 기존 주류의학에 저항하여 새로운 패러다임으로 부상하던 초창기부터 지속적으로 제기되어왔다. 근거중심의학은 의료인 개인의 경험보다는 임상연구의 결과 확인된 근거를 더 중시하는 경향이 있기 때문에, 임상적 판단이 필요할 때 의사의 판단보다는 외부의 자료에 의존한다며 위에서 내려온 지침을 그대로 답습하는 '요리책 의학(cookbook medicine)'에 불과하다는 비난을 받았다.[3] 또한 의료인이 자유롭게 처방을 선택하고, 치료를 제공할 수 있는 자유를 단순히 비용적인 관점에서, 혹은 체계적문헌고찰과 진료지침이라는 수단을 통해, 의료소비자나 의료자원을 관리하는 정책결정자들의 손에 의해 제한 받을 수 있다는 우려로 인하여, 기존 의학계에서 환영 받지 못하는 측면이 있었다.[3,43] 그러나 근거중심의학을 옹호하는 사람들은 단순히 만들어진 요리책에서 조리법을 찾아서 음식을 요리하는 것과 같이 근거를 활용하는 것이 아니라, 최선의 임상 근거를 바탕으로 의료인의 경험과 전문성, 그리고 환자의 선호를 고려하여 종합적인 판단을 내리는 것이 근거중심의학이 지향하는 바이며, 최선의 치료를 제공하여 환자를 빨리 회복시키는 것을 통해 의료비용이 줄어든 것이지, 의료인의 자유를 제한하기 위한 수단으로 근거를 활용한다는 비판은 기우에 지나지 않는다고 대응한 바 있다.[3] 이러한 측면의 비판은 근거중심의학이 현대 의학의 주류 사조로 부상하고, 근거중심의학에 대한 의학계의 이해가 높아지면서 점점 줄어들고 있는 추세이다.

하지만 근거중심의학의 바탕이 되는 임상 근거, 곧 무작위대조군연구나 체계적문헌고찰의 신뢰성에 대한 문제는 지금도 중요하게 인식되고 있다. 개별 임상연구의 신뢰도 측면에서, 임상연구를 수행하는 도중 다양한 비뚤림이 개입할 수 있으며, 이러한 비뚤림은 대상이 되는 중재의 효과와 안전성에 대하여 부정확한 정보를 제공하는데 기여하므로, 임상연구가 적절히 설계되고 수행되지 못하였을 경우 해당 연구의 결과 또한 진실에서 멀어질 가능성이 있다고 인식해야 한다. 마찬가지로 체계적문헌고찰은 기본적으로 이미 수행된 임상연구결과를 통합하여 2차적인 분석을 시행하기 때문에, 비뚤림위험이 높은 임상연구의 결과들이 분석에 포함된 경우, 합성된 근거에 대한 신뢰성을 보장할 수 없게 된다.

그런데 이미 언급한 것처럼 비뚤림위험평가 등의 방법을 통해 식별이 가능한 요인들 외에 눈에 보이지 않지만 결과에 영향을 끼치는 다른 요인들도 체계적문헌고찰의 신뢰성을 좌우할 수 있음을 명심해야 한다. 그러한 요인들 중 첫 번째는 출판비뚤림(publication bias)의 문제이다. 출간비뚤림은 체계적문헌고찰에 이미 수행된 모든 임상연구의 결과가 포함되지 않음으로 인해 발생할 수 있는 비뚤림을 의미한다. 이미 수행된 모든 연구결과가 논문을 통해 발표되지 않았거나, 공식적으로 자료를 구할 수 없는 상황에서, 일부의 연구결과만을 이용하여 근거를 합성할 경우에 출판비뚤림이 발생한다. 일반적으로 논문이 학술지에 투고되었을 때, 연구의 결과가 긍정적일 경우가 부정적일 경우에 비하여 잘 출간된다는 점도 출판비뚤림과 관련되어 있다. 이해상충이라는 측면에서는 연구를 통해 이익을 얻거나 손해를 볼 수 있는 주체(예를 들어 약물을 개발한 사람이나 회사 등)가 연구의 수행과 결과의 보고 과정에 직접 관여된 경우 자사 제품의 부정적인 연구결과는 감추고 공개적으로 출간하려고 하지 않기 때문에 초래되기도 한다.[48] 출간비뚤림이 있을 경우 부정적인 연구결과가 분석에서 배제되기 때문에 긍정적인 효과가 과장되게 제시되는 경향이 있다. 최근에는 출판비뚤림과 선택적인 보고(selective reporting)로 인한 비뚤림을 줄이기 위하여 임상연구를 시행하기 전 임상연구 계획을 공개적인 레지스트리를 통해 등록하는 것을 권고하고 있다. 임상연구가 등록된 경우, 부정적인 연구결과로 인해 출간되지 않은 연구가 있더라도, 체계적문헌고찰을 시행하는 사람이 해당 연구자에게 연락하여 직접 자료를 받아 분석을 시행하는 방법을 통하여 출간비뚤림을 줄일 수 있다.

또 다른 요인은 연구결과의 보고가 충실하지 않은 문제이다. 체계적문헌고찰을 위해 연구자들은 일반적으로 연구결과가 포함된 논문을 검색하고, 분석을 위한 자료를 논문으로부터 추출한다. 일반적으로 논문은 대개 수페이지에서 10페이지 내외로 구성되며, 그 안에 결과 뿐만 아니라 연구개요와 방법, 기존 연구결과와 비교를 포함한 분석 등이 포함되어야 한다. 하지만 임상연구와 관련된 자료는 논문에 다 실을 수 없을 정도로 다양하고, 양이 많기 때문에, 논문 안에 모든 자료가 다 들어가 있다고 볼 수 없다. 따라서 어떤 내용이 선택되어 보고되었는지 연구자가 파악할 수 없기 때문에 선택적인 보고를 통해 발생가능한 비뚤림은 인식과 해석이 불가능한 채 남겨지게 된다.[49] 이것이 특히 문제가 되는 것은 중재의 부작용과 관련한 것으로, 이에 대한 사례로, Peter C Gøtzsche 등이 인유두종바이러스 백신에 대한 코크란 체계적문헌고찰을 분석한 논문에서 이 점을 지적한 바 있다(44p 표 참조). 이를 조금 부연설명하자면, 코크란 리뷰의 저자들은 출간된 임상연구를 바탕으로 심각한 이상반응 사례의 빈도를 분석했을 때 치료군과 대조군에서 이상반응이 발생한 건수를 1,400례로 파악하여 분석하였는데, Gøtzsche 등이 동일한 연구에 대하여 ClinicalTrials.gov에 등록된 연구에 근거하여 분석한 결과 총 2,028례의 심각한 이상반응 사례가 발생하였음을 확인하였다고 한다.[50] 이렇게 불충분하게 보고된 논문의 자료만 의존하여 체계적문헌고찰을 시행한 경우, 아무리 과학적인 방법으로 리뷰를 수행한다고 할지라도, 해당 리뷰가 합성해낸 근거를 온전히 신뢰할 수 없게 된다. 이러한 한계를 극복하기 위하여, 체계적문헌고찰을 시행할 때에 출간된 논문의 자료에만 의존하지 말고, 규제기관(식품의약품안전처 등)으로부터 구할 수 있는 자료(임상시험 결과보고서*) 및 임상연구 등록자료 등을 색인화하여 포괄적인

---

* 임상시험 결과보고서(clinical study reports, CSR)는 환자에 대하여 투여된 어떠한 종류의 치료적, 예방적, 진단적 중재에 대한 인간대상연구의 모든 내용을 담고 있는 통합된 문서로, 연구설계, 윤리적 고려사항, 연구자 정보 및 통계적 분석, 부작용 및 환자와 관련된 정보 등 연구와 관련된 모든 자세한 정보를 담고 있으며, 임상시험이 종료된 후 작성된 결과보고서는 규제기관에 모든 임상시험자료와 같이 제출 후 제품의 품목허가를 위한 심의에 활용된다.

자료를 수집하는 것을 통해 이를 극복할 수 있다는 의견이 있다.[49]

마지막으로 이해상충(conflict of interests)의 문제이다. 일반적으로 임상시험은 제약회사나 의료기기회사에서 제품을 개발한 후, 판매전 규제기관의 허가를 얻기 위하여 해당 제품의 유효성과 안전성에 대한 자료를 제출해야 하는데, 이를 마련할 목적으로 수행된다. 새로운 의약품이나 의료기기는 개발과정 중 막대한 비용이 투입되지만, 시판에 성공할 경우 상상할 수 없을 정도의 이익을 기대할 수 있다. 따라서 제약회사나 의료기기회사들은 자신들의 임상시험의 성공을 기대하기 마련이다. 그런데 미국의 ClinicalTrials.gov라는 임상연구 등록 레지스트리에 2000년부터 2006년까지 등재된 546건의 임상연구를 분석해 본 결과, 회사에서 기금을 제공하여 수행된 연구의 85.4%가 긍정적인 결과를 보고한 반면, 정부에서 기금을 제공하여 수행된 연구의 50.0%에서 긍정적인 결과를 보고하고 있다고 한다. 또한 2년 이내에 연구의 결과가 논문으로 출간된 비율을 보면, 회사에서 기금을 제공한 연구의 경우 32.4%만이 출간되었으나, 정부에서 기금을 제공한 연구의 경우 71.9%의 연구결과가 논문으로 출간되었음이 확인되었다.[51] 이 내용이 시사하는 바는 모든 임상연구의 결과가 공정하게 보고되지 않을 수 있다는 점이며, 특히 의뢰자주도임상시험*의 경우 회사는 보통 개발한 중재의 긍정적인 이득은 과대포장하고, 이상반응 등 부정적인 위해에 대해서는 잘 보고하지 않는 경향이 있음을 짐작해 볼 수 있다.[52] 체계적문헌고찰의 경우도 마찬가지이다. 체계적문헌고찰을 수행하는 사람들이 제약회사로부터 어떠한 금전적인 지원을 받거나 이익을 나누는 관계에 있게 되면, 회사의 영향력으로부터 자유로울 수 없게 되므로 선택적으로 자료를 추출하거나(cherry picking), 비뚤림위험이 높은 연구들을 포함시키는 등의 방법으로 체계적문헌고찰의 결과에 영향을 끼칠 수 있게 된다.[53] 따라서 임상시험과 체계적문헌고찰의 수행 과정 중 발생 가능한 이해상충의 문제를 적절하게 관리하여, 기업의 영향에 의해 좌지우지

---

* 의뢰자주도임상시험(sponsor initiated trial, SIT): 보통의 경우 의약품이나 의료기기를 개발한 회사에서 기금을 제공하여 수행되며, 연구자주도임상시험(주로 공공의 목적을 위해 국가나 연구기관이 기금을 제공하여 수행하는 연구)에 대비되는 형태의 임상시험이다.

되는 것을 막아내는 것은 신뢰할 수 있는 근거를 생산하는데 있어 매우 중요한 일이라고 할 수 있다.

　근거중심의학은 이미 완성된 개념이 아니다. 방법론적인 측면에서 새로운 연구방법과 결과의 보급을 위한 수단, 임상에서 활용되기 위한 전략 등이 끊임없이 개발되고 있으며, 새로운 중재와 이미 활용되고 있는 중재들의 유효성과 안전성에 대한 근거가 끊임없이 재평가, 합성되어야 한다. 이와 더불어 근거중심의학의 근간이 되는 임상연구와 체계적문헌고찰의 신뢰도를 제고하기 위하여, 연구가 공정하고 과학적으로 수행되어야 하며, 이해상충의 문제가 적절하게 관리되어야 한다. 또한 임상의와 연구자, 의료소비자 및 의료 정책 결정자들은 근거중심의학에서 중시하는 임상연구의 결과들을 수동적으로 받아들일 것이 아니라 비평적인 눈으로 분석하고 평가하는 능력을 배양하여, 부적절한 근거는 배척할 수 있는 능력을 갖추게 될 때 근거중심의학이 한층 더 성숙된 단계로 나아갈 수 있음을 인지할 필요가 있다.

　근거중심의학의 개념과 방법론은 완성된 것이 아니며, 임상연구 자료의 출판비뚤림이나 선택적 보고비뚤림, 이해상충의 문제 등도 제기되고 있는 만큼, 중립적인 시선으로 근거중심의학을 바라보아야 한다.

▶ '자궁 경부암과 그 전조증을 예방하기 위한 인유두종바이러스 백신의 예방접종' 연구를 둘러싼 최근의 논란

2018년 9월 17일 제25회 코크란 콜로키움(The Cochrane Colloquium)의 코크란 연례총회에서는 당시 13인의 코크란 이사 중 한 사람의 '반복된 나쁜 행동'에 대하여 코크란 연합의 정관에 따라 "코크란 단체 혹은 구성원 등에 심각한 악영향을 미쳤거나 미칠 가능성이 있는 행동에 귀책사유가 있는 경우 이사회는 회원의 자격을 박탈할 수 있다"는 조항을 발효한다(코크란에서 제명한다)고 발표하였다.[54] 여기서 언급된 '한 사람'은 바로 Peter C. Gøtzsche로 그는 코크란 연합의 최초 발기인 중 일인이며, 수십 편의 코크란 리뷰의 저자인 동시에 코크란 리뷰의 방법론 개발에 크게 기여한 바 있는 영향력 있는 유명인사였으므로, 그의 이사 자격 박탈 소식은 큰 충격을 안겨주었다. Gøtzsche는 2018년 BMJ Evidence-Based Medicine이라는 학술지에 "코크란의 HPV 백신 리뷰는 불완전하고 중대한 비뚤림에 대한 증거를 무시하였다"는 논문을 게재한 바 있다.[55] 이 글에서 2018년 5월에 출간된 "자궁 경부암과 그 전조증을 예방하기 위한 인유두종바이러스 백신의 예방접종"이라는 코크란 리뷰[56]를 분석하였는데, 해당 리뷰에서 이미 존재하고 있었던 상당수 임상연구의 결과를 분석에 포함하지 않았고(당시 포함이 가능했던 46건의 연구 중 해당 리뷰에는 26건의 무작위대조군연구만 포함됨), 인유두종바이러스 백신의 부작용을 객관적이고 투명하게 평가하기에는 불충분하게 설계된 연구들만이 분석에 포함되었으며, 이상반응에 대한 분석이 부적절하였던(이상반응을 축소하여 보고함) 점 등을 거론하며 비판하였다. 그리고 이와 같은 일차적인 임상연구의 문제 곧 리뷰 수행상 보고비뚤림 등 문제와는 별도로, 리뷰에 포함된 모든 연구들이 백신 개발 회사의 기금을 받아 수행되었고, 해당 리뷰를 수행한 연구자들 중 상당수가 개발 회사와의 이해상충이 발생하였을 가능성이 있다는 점 등의 이유를 들어 해당 리뷰가 '신뢰할만한 근거(trusted evidence)'를 제공해 주고 있지 못하다고 비판하였다.[55] 코크란의 CEO인 Mark Wilson은 그의 이러한 비판에 대해 기관의 명성에 부정적인 영향을 끼치는 행동으로 인식하고 이사회 투표를 통해 그를 축출하는 상황에 이르렀다. 이 사건 이후 Gøtzsche를 제외한 12인의 이사 중 4인이 그를 이사회에서 배제하는 결정이 부당함에 저항하는 의미에서 사임하고, 코크란의 이사회를 전원 교체해야 한다고 주장하는 등 상당한 파장을 일으켰다. 이러한 일련의 사건들은 근거중심의학의 선봉에 서서, 객관적이고 과학적이며, 자유로운 토론과 자원봉사의 정신을 바탕으로 하여 신뢰할 수 있는 임상 근거를 생산하고, 근거에 바탕으로 한 의료적 의사결정을 지원하여 의료의 질을 향상시키자는 기치하에 운영되어 온 코크란 연합의 절대적인 명성에 치명상을 입히는 결과를 초래하였다.[53] 또한 근거중심의학에서 근거의 위계 중 최상위에 위치하고 있는 체계적문헌고찰도 완전 무결한 것은 아니며, 심지어 코크란 리뷰조차도 그 신뢰성에 대한 논란이 있을 수 있음이 알려지게 된 계기가 되었다.

알기 쉬운 임상연구 입문 가이드

참고문헌

1. The year in ideas: A to Z. https://www.nytimes.com/2001/12/09/magazine/the-year-in-ideas-a-to-z.html?searchResultPosition=1. 2001.

2. The year in ideas: A TO Z.; Evidence-Based Medicine. https://www.nytimes.com/2001/12/09/magazine/the-year-in-ideas-a-to-z-evidence-based-medicine.html?searchResultPosition=1. 2001.

3. Sackett DL, Rosenberg WM, Gray JM, Haynes RB, Richardson WS: Evidence based medicine: what it is and what it isn't. In.: British Medical Journal Publishing Group; 1996.

4. Guyatt G, Cairns J, Churchill D, Cook D, Haynes B, Hirsh J, Irvine J, Levine M, Levine M, Nishikawa JJJ: Evidence-based medicine: a new approach to teaching the practice of medicine. 1992, 268(17):2420-2425.

5. 제러미 하윅, 전현우 등 역: 증거기반의학의 철학: 생각의 힘; 2018.

6. Scriabine A, Battye R, Hoffmeister F, Kazda S, Towart R, Garthoff B, Schlüter G, Rämsch KD, Scherling D: Nimodipine. Cardiovascular Drug Reviews 1985, 3(1):197-218.

7. Tomassoni D, Lanari A, Silvestrelli G, Traini E, Amenta F: Nimodipine and its use in cerebrovascular disease: evidence from recent preclinical and controlled clinical studies. Clinical and experimental hypertension 2008, 30(8):744-766.

8. https://bestpractice.bmj.com/info/toolkit/learn-ebm/what-is-grade/.

9. Guyatt GH, Oxman AD, Vist GE, Kunz R, Falck-Ytter Y, Alonso-Coello P, Schünemann HJ: GRADE: an emerging consensus on rating quality of evidence and strength of recommendations. Bmj 2008, 336(7650):924-926.

10. 김수영 등: NECA 체계적문헌고찰 매뉴얼: NECA 연구방법 시리즈: 2011.

11. Guyatt G, Rennie D: Users' guides to the medical literature: a manual for evidence-based clinical practice, vol. 706: Mc Graw Hill Education; 2014.

12. https://shareddecisions.mayoclinic.org

13. Weymiller, Audrey J., et al. "Helping patients with type 2 diabetes mellitus make treatment decisions: statin choice randomized trial." Archives of internal medicine 167.10 (2007): 1076-1082.

14. https://shareddecisions.mayoclinic.org/decision-aid-information/decision-aids-for-chronic-disease/diabetes-medication-management/

15. Smith R, Rennie DJJ: Evidence-based medicine—an oral history. 2014, 311(4):365-367.

16. Morabia A: Pierre-Charles-Alexandre Louis and the evaluation of bloodletting. Journal of the Royal Society of Medicine 2006, 99(3):158-160.

17. Hill AB: The clinical trial. New England Journal of Medicine 1952, 247(4):113-119.

18. Crofton J: The MRC randomized trial of streptomycin and its legacy: a view from the clinical front line. Journal of the Royal Society of Medicine 2006, 99(10):531-534.

19. Dickersin K, Chalmers F: Thomas C Chalmers (1917 – 1995): a pioneer of randomised clinical trials and systematic reviews. Journal of the Royal Society of Medicine 2015, 108(6):237-241.

20. Stavrou A, Challoumas D, Dimitrakakis G: Archibald Cochrane (1909 – 1988): the father of evidence-based medicine. *Interactive cardiovascular and thoracic surgery* 2013, 18(1):121-124.

21. Smith R: David Sackett. British Medical Journal 2015.

22. Watts G: Iain Chalmers: maverick master of medical evidence. The Lancet 2006, 368(9554):2203.

23. Hawkes N: Lifetime Achievement Award 2014: Sir Iain Chalmers. *British Medical Journal* 2014, 348:g2921.

24. Chalmers, Iain, et al. "How to increase value and reduce waste when research priorities are set." The Lancet 383.9912 (2014): 156-165.

25. Evans I, Thornton H, Chalmers I, Glasziou P: Testing treatments: better research for better healthcare: Pinter & Martin Publishers; 2011.

26. FIFA: Laws of the Game, https://www.fifa.com/mm/document/affederation/generic/81/42/36/lawsofthegame_2010_11_e.pdf.

27. How to win any coin toss, http://www.metacafe.com/watch/1363778/how_to_win_any_coin_toss/

28. https://ko.wiktionary.org/wiki/오류

29. Higgins JP, Green S: Cochrane handbook for systematic reviews of interventions, vol. 4: John Wiley & Sons; 2011.

30. https://training.cochrane.org/online-learning/cochrane-methodology/risk-bias

31. Anderson JL, Adams CD, Antman EM, Bridges CR, Califf RM, Casey DE, Chavey WE, Fesmire FM, Hochman JS, Levin TN: ACC/AHA 2007 guidelines for the management of patients with unstable angina/non – ST-elevation myocardial infarction: a report of the American College of Cardiology/American Heart Association Task Force on Practice Guidelines (Writing Committee to Revise the 2002 Guidelines for the Management of Patients With Unstable Angina/Non – ST-Elevation Myocardial Infarction) developed in collaboration with the American College of Emergency Physicians, the Society for Cardiovascular Angiography and Interventions, and the Society of Thoracic Surgeons endorsed by the American Association of Cardiovascular and Pulmonary Rehabilitation and the Society for Academic Emergency Medicine. *Journal of the American College of Cardiol-*

ogy 2007, 50(7):e1-e157.

32. Antman EM, Lau J, Kupelnick B, Mosteller F, Chalmers TC: A comparison of results of meta-analyses of randomized control trials and recommendations of clinical experts: treatments for myocardial infarction. *Jama* 1992, 268(2):240-248.

33. Elwood P: The first randomized trial of aspirin for heart attack and the advent of systematic overviews of trials. *Journal of the Royal Society of Medicine* 2006, 99(11):586-588.

34. A brief history of Cochrane, https://community.cochrane.org/handbook-sri/chapter-1-introduction/11-cochrane/112-brief-history-cochrane

35. Bastian, Hilda, Paul Glasziou, and Iain Chalmers. "Seventy-five trials and eleven systematic reviews a day: how will we ever keep up?." PLoS med 7.9 (2010): e1000326.

36. What is a systematic review?, https://community.cochrane.org/handbook-sri/chapter-1-introduction/11-cochrane/12-systematic-reviews/122-what-systematic-review

37. Silva, Valter, et al. "Overview of systematic reviews-a new type of study: part I: why and for whom?." Sao Paulo Medical Journal 130.6 (2012): 398-404.

38. Seo H-J, Kim S-Y: What is Scoping Review? *J Health Tech Assess* 2018, 6(1):16-21.

39. De Vries N, Staal J, Van Ravensberg C, Hobbelen J, Rikkert MO, Nijhuis-Van der Sanden M: Outcome instruments to measure frailty: a systematic review. *Ageing research reviews* 2011, 10(1):104-114.

40. Kim TH, Lee MS, Kim KH, Kang JW, Choi TY, Ernst E: Acupuncture for treating acute ankle sprains in adults. *Cochrane database of systematic reviews* 2014(6).

41. https://www.nccih.nih.gov/health/providers/clinicalpractice

42. Field MJ, Lohr KN: Clinical practice guidelines: directions for a new program: National Academies Press; 1990.

43. Weisz G, Cambrosio A, Keating P, Knaapen L, Schlich T, Tournay VJ: The emergence of clinical practice guidelines. *The Milbank Quarterly* 2007, 85(4):691-727.

44. Bhaumik S: Use of evidence for clinical practice guideline development. *Tropical parasitology* 2017, 7(2):65.

45. 임상진료지침정보센터, http://www.guideline.or.kr

46. 국가한의임상정보센터, http://www.nckm.or.kr

47. Cho K-H, Kim T-H, Kwon S, Jung W-S, Moon S-K, Ko C-N, Cho S-Y, Jun C-Y, Lee S-H, Choi TY: Complementary and Alternative Medicine for Idiopathic Parkinson's Disease: An Evidence-Based Clinical Practice Guideline. Frontiers in aging neuroscience 2018, 10:323.

48. Rothstein HR, Sutton AJ, Borenstein M: Publication bias in meta-analysis. *Publication bias in meta-analysis: Prevention, assessment and adjustments* 2005:1-7.

49. Jefferson T, Jørgensen L: Redefining the 'E' in EBM. In.: Royal Society of Medicine; 2018.

50. Jørgensen L, Gøtzsche PC, Jefferson T: The Cochrane HPV vaccine review was incomplete and ignored important evidence of bias. *BMJ evidence-based medicine* 2018, 23(5):165-168.

51. Bourgeois FT, Murthy S, Mandl KD: Outcome reporting among drug trials registered in Clinical-Trials. gov. *Annals of internal medicine* 2010, 153(3):158.

52. Goldacre B: Bad pharma: how drug companies mislead doctors and harm patients: Macmillan; 2014.

53. Demasi M: Cochrane – a sinking ship?[Blog] BMJ EBM Spotlight. In.; 2018.

54. https://www.cochrane.org/news/statement-cochranes-governing-board

55. Jørgensen, Lars, Peter C. Gøtzsche, and Tom Jefferson. "The Cochrane HPV vaccine review was incomplete and ignored important evidence of bias." BMJ evidence-based medicine 23.5 (2018): 165-168.

56. Arbyn M, Xu L, Simoens C, Martin-Hirsch PP: Prophylactic vaccination against human papilloma-viruses to prevent cervical cancer and its precursors. Cochrane Database of Systematic Reviews 2018(5).

PART

02

임상연구

SECTION

01. 임상연구의 특수성

02. 임상연구의 유형

03. 임상연구의 윤리와 규제

04. 임상연구계획

05. 임상연구의 수행

06. 임상연구 결과의 보고

01

임상연구의 특수성

우리는 PART 01에서 현대 의학의 주요 사조인 근거중심의학에 대해서 간략히 살펴보았다. 근거중심의학적인 관점에서 근거라고 하는 것은 의료적인 의사결정을 위해 활용 가능한 모든 형태의 자료이며, 이들 근거 사이에는 임상적용의 측면에서 확실성에 바탕을 두고 판단하였을 때 위계가 있다는 것에 대하여 언급하였다. 또한 임상연구와 체계적문헌고찰이 가장 신뢰할 수 있는 근거가 된다는 점에 대해서 설명하였다. 이번 PART 02에서는 임상연구에 대하여 다룬다. 세부적인 내용으로 들어가기 앞서, 임상연구가 어떤 특수성을 가지는지 간략하게 언급한다.

임상연구는 어떻게 정의할 수 있는가? 환자를 포함한 인간 자원자들을 대상으로 의학적 지식을 축적할 목적으로 수행되는 연구를 임상연구라고 한다.[1] 곧 아래 설명할 임상시험과 관찰연구를 모두 포함하여, 연구의 목적, 형태에는 무관하게 사람을 대상으로 수행하는 연구는 전부 임상연구에 포함된다. 미국이나 유럽 등의 국가에서는 신약이 개발된 이후 반드시 규제기관의 허가를 얻어야 시판될 수 있다. 국내에서도 유통되는 의약품과 의료기기는 반드시 식품의약품안전처(이하 식약처)의 심사과정을 거쳐 허가를 얻어야 판매가 가능하며, 해당 의약품과 의료기기가 이미 임상에서 사용되고 있더라도 안전성 등의 문제가 발생하면 재심사 등의 과정을 통해 허가를 중지할 수도 있다. 그런데 허가 과정에서 필수적인 것이 제품의 품질을 입증하는 것 외에도, 해당 의약품의 안전성과 유효성을 증명하는 것이며, 여기에 필수적인 것이 바로 임상시험(clinical trials)이다. 의약품 임상시험 관리기준에서 정의하는 의약품 임상시험이란 "임상시험용의약품을 대상으로 안전성과 유효성을 증명할 목적으로 약물의 약동, 약력, 약리, 임상 효과 등을 확인하고 이상반응을 조사하기 위해 사람을 대상으로 실시하는 시험"으로 정의하고 있다.[2] 임상시험과는 구별되게, 의약품이나 의료기기의 허가와 관계없이, 실제 판매되는 의약품이나 의료기기를 연구대상자들에게 제공하고 연구계획에 의거하여 건강결과를 평가하거나, 질병의 예후나 자연사 등에 대하여 탐색하는 연구를 관찰연구로 정의한다.[*][1] 이와 같이 임상연구의 정의를 통해 살펴본 특수성은 바로 사람이 연구의 대상이 된다는 점임을 기억해야 한다.

그렇다면 사람이 대상이 되기 때문에 어떤 점이 특별하다고 볼 수 있는가? 그 중 첫 번째는 세포실험과 동물실험에 비하여 임상연구는 윤리적인 문제가 강조된다. 간략히 요약하면 2차세계대전 이후 비인간적인 인간대상실험은 지양하고, 연구대상자의 권리와 안전, 복지를 보장하는 차원에서 임상연구의 기본원칙이 수립되었다. 임상연구가 의학적 지식을 확대하고, 인류의 보편적 이익에 지대하게 공헌하고 있다는 사실은 부인할 수 없지만, 그렇다고 하더라도 연구에 참여하는 대상자의 권리와 이익이 무시된 채로 연구가 수행돼서는 안 되며, 대상자가 참여로 인해 얻는 이익과 위해는 적절하게 균형을 이루어야 한다. 이를 위해 모든 인간대상연구는 연구 시작 전 그 연구 계획에 대하여 임상시험심사위원회(혹은 기관생명윤리위원회, institutional review board, IRB)에서 심의 후, 허가를 얻은 후에 연구를 진행해야 하며, 유효성과 안전성을 입증할 수 있는 가능한 최소한의 대상자를 모집하여 연구를 수행해야 한다. 또한 모든 연구는 대상자의 자발적인 참여에 의하여 수행되어야 한다. 대상자의 권익과 안전의 보호는 임상연구에서 가장 중요하고 기초적인 고려사항이 된다. 이 PART에서 임상연구와 관련된 윤리적 측면의 사건과 주요 개념에 대해 다룰 예정이므로 참고하도록 한다.

---

* 임상시험은 보통 의약품(또는 의료기기)의 품목허가를 위해 안전성과 유효성을 증명할 목적으로 수행되는 약사법(또는 의료기기법)에서 정의하는 한정적인 범위의 인간대상연구로 보는 것이 적절하다.

그 다음으로 임상연구는 상대적으로 많은 비용이 소모된다. 먼저 연구가 시작되기 앞서서 상당한 준비가 필수적이다. 임상시험의 경우 임상시험용의약품이 사람에 투여되기 전에, 이미 세포실험이나 동물실험을 통해 독성이나 유효성에 대한 자료가 마련되어야 한다. 또한 임상시험용의약품은 적절한 시설에서(예를 들면 우수 의약품 제조 및 품질 관리기준, GMP를 만족하는 공장 등) 생산되고 포장되어야 한다. 일반적인 동물실험이나 세포실험은 연구자에 의해 통제된 환경에서 진행되기 때문에, 실험기간을 짧게 설계할 수 있고, 실험대상을 마련하는데 상대적으로 어려움이 적다. 그러나 임상연구의 경우 살아있는 사람을 대상으로 진행되기 때문에, 대상자의 모집과 연구의 수행에 긴 시간이 소요되며, 연구참여자에게 교통비와 편의 등을 제공해야 하며, 연구로 인하여 예상한 혹은 예상하지 못한 부작용이 발생할 경우 적절히 치료받을 수 있도록 장치(보험 가입 등)를 사전에 마련해야 한다. 또한 숙련된 일부의 연구자들이 세포나 동물을 다루는 것과는 다르게, 환자를 모집하고, 방문 일정을 관리하며, 중재를 시행하고, 건강결과를 평가하는 등 연구의 매 단계에 다양한 직역의 연구자들(예를 들어 의사, 한의사, 간호사, 관리약사, 임상시험모니터요원 등)이 협력해야 한다. 경우에 따라서는 대상자의 모집을 활성화하기 위하여 지리적으로 떨어진 여러 기관들이 협력하여 대상자를 모집해서 연구를 진행하는 다기관 연구가 시행되기도 한다. 또한 자료의 품질보장을 위해 연구 중간 및 종료 후 자료를 확인하는 모니터링을 시행해야 하며, 연구와 관련된 자료는 상당기간 보관되어야 한다. 이러한 연구 활동의 모든 부분은 비용으로 환산되며, 이것은 세포실험이나 동물실험에 비교할 수 없을 정도로 상당한 비용에 해당한다.

그 다음으로 사람을 대상으로 진행되는 연구는 세포 혹은 동물실험에 비해 연구설계상 다양한 요소들을 고려해야 한다. 중재의 임상적 효과를 크게 특이적 효과(specific effects)와 비특이적 효과(non-specific effects)로 분류하는데, 특이적 효과는 중재가 신체에 직접 작용하여 생리적 변화를 야기하는 중재 자체가 가진 고유한 효과를 의미하며, 비특이적 효과는 중재의 특이적 효과와는 별도로 발생하는 것으로, 연구에 참여하는 대상자의 심리적인 변화 등이 효과에 영향을 끼치는 것 등을 의미한다. 예를 들어 호손효과(Hawthorne effect)라는 것은 대상자가 연구에 참여하여 다른 사람에 의해 관찰된다는 사실만으로도 행동의 변화 및 증상의 호전 등이 발생하는 것으로 대표적인 비특이적 효과이다.[3] 또한 위약을 복용한 환자가 경험하는 효과인 위약효과(placebo effect)도 중요한 비특이적 효과 중 하나이다. 만일 연구에 참여하는 사람이 위약을 복용하는지 아니면 치료약을 복용하는지를 알게 되면, 위약을 복용하는 사람은 자신의 중재에 대하여 신뢰하지 못하게 되고, 치료약을 복용하는 사람은 기대감을 가지게 되어 이로 인한 비뚤림이 발생할 수 있다. 건강결과를 평가하는 연구자의 경우에도 대상자가 어떠한 군에 배정되었는지 알고 있으면, 영향을 받을 수 있고, 이에 의한 비뚤림이 발생할 수 있다. 이러한 부분을 고려하여, 연구대상자나 연구자 모두 해당 대상자가 어떤 중재를 받고 있는지 알 수 없게 눈가림을 하거나, 무작위배정이 공정하게 될 수 있도록 중재의 배정을 위한 무작위번호를 생성하고, 배정 순서가 공개되지 않도록 은폐하는 등 복잡하고, 정교한 절차를 마련하여 비뚤림위험을 낮추고자 노력한다. 임상연구의 방법론은 이러한 특수성 위에 수립되었음을 아는 것이 임상연구를 이해하는 첫 걸음이 된다.

요 약

임상연구는 사람을 대상으로 하는 연구로, 동물연구나 세포연구에 비하여 비용이 많이 소요되며, 과학적이면서 윤리적으로 수행되도록 복잡한 연구설계가 필요하다.

02

임상연구의 유형

사람을 대상으로 하는 임상연구의 범주 하에는 몇 가지 다른 형태의 설계가 존재한다. 지난 PART에서 살펴보았듯이, 설계가 다른 연구들은 근거중심의학의 위계에서 서로 다른 곳에 위치하며, 일반적으로 무작위대조군임상연구가 증례보고보다 근거의 위계상 상위에 위치하므로, 더 신뢰할 수 있는 임상 근거로 인정된다. 그런데 근거의 위계라는 부분만 고려한다면 무작위대조군임상연구가 다른 형태의 설계로 수행된 모든 연구들을 대체해야 할 것 같은데, 다양한 임상연구 설계가 공존하는 이유는 무엇인가? 그것은 아마도 해결하고자 하는 연구 가설과 연구를 위해 활용가능한 자원 및 연구 환경을 고려한 적절한 설계를 채택해야 하기 때문일 것이다.

우리가 궁금해 하는 의료와 관련된 문제들은 다양한 상황에서 서로 다른 모습으로 발생한다. 만일 어떤 임상의가 자신의 진료현장에서 새로운 양상의 증상이나 증후를 가진 환자를 치료하였거나, 기존에 잘 알려지지 않았던 새로운 중재나 치료법을 적용해서 유의미한 치료 결과를 얻었을 경우에 해당 임상의는 증례보고를 통해 자신이 경험한 내용을 발표할 수 있다. 만일 특수한 인자에 대한 노출(예를 들어 흡연)이 어떤 질병이 발생하는 것과 관련이 있는지 알고 싶은 경우에는 코호트연구를 통해서 해당 문제의 해답에 접근할 수 있다. 만일 내가 운영하고 있는 병원에 내원하고 있는 환자들의 특성을 분석하고 싶다면 단면연구를 시행할 수 있다. 무작위대조군임상연구의 경우라고 하더라도 상황과 연구목적에 따라 설계가 달라질 수 있다. 예를 들어 제약회사에서 신약을 개발하고 나서, 규제기관의 허가를 얻기 위하여 유효성과 안전성을 확인하는 연구를 계획한다면, 규정된 엄격한 절차에 따라 위약 무작위대조군임상시험을 수행해야 할 것이다. 그런데 유병률이 매우 낮으면서, 만성형의 경과를 보이는 질환의 경우, 연구대상자 모집이 어렵기 때문에 교차시험(crossover study)이 적절할 것이다. 또한 유치원 재원생들의 안전교육이라는 중재를 실시하고 그 효과를 평가해야 하는 상황에서는 유치원생 한명 한명을 무작위배정하는 것보다 연구에 참여하는 유치원 기관을 통째로 무작위배정하여 연구를 수행하는 것이 용이하다. 이와 같이 개별 연구대상자들을 무작위로 배정하는 것이 어려운 경우, 군집무작위배정연구(cluster randomized controlled trials)가 적합할 것이다. 이렇듯 무작위대조군임상연구를 포함한 임상연구 설계의 특징 및 각자가 가진 한계점 등은 근거중심의학을 이해하는 가장 기초적인 지식이 된다. 이 SECTION에서는 각각의 연구설계에 대해서 간략히 다룬다.

증례보고(Case studies, Case reports)

표 2-2-1. 증례보고 사례

제목		침치료가 패혈증에 의해 이차적으로 발생한 마비성 장폐색을 호전시킨다: 증례보고 [4]
내용요약		S상 결장암 수술의 과거력을 가진 78세 남성에게 패혈증이 발생하여 중환자실에 입원하였다. 이 환자는 복부팽만과 변비, 구토 증상이 있었고, 이후 CT 검진 상 마비성 장폐색으로 진단되었다. 위장관 감압술과 공복의 유지, 관장, 주사를 통한 비경구적 영양공급, 항생제 투여 등을 시행하였으나 증상의 호전이 없었다. 이에 양측 천추(ST25), 양릉천(GB34) 등의 경혈에 하루 3회 총 4일간 침치료를 시행한 후 제반 증상이 호전되었다.
연구 개요	설계	증례보고
연구 개요	주평가 변수 (평가 시점)	구토여부 확인, 복부둘레의 측정, 장음 청진, 배변 유무 확인, CT 촬영(1주일 후)
연구 개요	연구 대상자 수	1명
연구 개요	결론	해당 증례는 패혈증 이후 발생한 장폐색이 침 치료 후 개선된 사례이다.

증례는 환자 또는 환자들에 대한 이야기이다. 진료현장에서 만나는 환자 한 사람 한 사람은 인간이라는 공통점을 가지고 있지만, 개인적인 특수성을 가진 개체로서의 의미를 가진다. 근거중심의학에서 다루는 임상 근거는 일반적으로 개인보다는 인구집단을 대상으로 하며, 보편성에 기반한 근거를 제공한다. 하지만 임상진료는 실질적으로 특수한 한 사람을 대상으로 이루어지므로, 임상에서 개별환자를 대상으로 치료할 때 공식적인 근거가 모두 적용될 수 있다고 볼 수는 없다. 따라서 증례보고는 신뢰성의 측면에서 무작위대조군연구에 비해 낮은 수준의 근거를 제공하지만, 임상현장에서 실제 접할 수 있는 환자로부터 얻은 경험에 대한 기록을 통해, 표준화된 근거의 부족한 부분을 채워, 체계적문헌고찰이나 진료지침을 바탕으로 한 임상 근거가 실제 임상에 적용될 때 참고할 수 있는 자료로써 의미를 가진다.[5]

증례보고는 무작위대조군임상연구가 근거를 생산하는 가장 중요한 방법론으로 자리 잡기 훨씬 전부터 어떠한 중재에 대한 효과나 특이한 질병에 대한 정보를 공유하기 위하여 활용되었다. James Parkinson은 1817년에 출간한 '진전마비에 대한 에세이(An Essay on the Shaking Palsy)'라는 증례보고집에서 처음으로 파킨슨병 증후에 대하여 공식적으로 보고하였다. 그로부터 200여년이 지난 현재에는 파킨슨병의 원인과 증후, 역학 및 다양한 치료술에 대한 엄청난 지식이 축적되는 상황에 이르렀다. 이와 같이 증례보고는 새로운 질병에 대하여 초기에 파악하고, 그 지식을 공유하는데 적절한 방법이라고 볼 수 있다.[6]

근거중심의학이 임상의학을 주도하는 패러다임으로 정착된 현재, 근거중심의학의 위계상 낮은 위치를 점하고 있음에도 증례보고가 의미가 있는 이유 중 하나는 잘 알려져 있지 않은 약물이나 치료의 이상반응을 발견하고 보고하는데 적합한 방법이기 때문이다. 1961년 호주의 산부인과 의사인 William McBride는 란셋(Lancet)지에 기고한 편지(letter)형식의 증례보고를 통해 최초로 탈리도마이드(Thalidomide)를 복용한 임산부에서 높은 비율의 선천성 기형이 발생함을 보고하였다.[7] 신약이 개발되었을 때, 임상시험을 통해 안전성과 유효성이 입증된 이후 시판되나, 많은 수의 환자를 대상으로 해당 약제를 투여할 경우 임상시험 과정 중 발견되지 못한 부작용들이 발생할 수 있다. 이 경우 증례보고는 무작위대조군연구가 제공하지 못하였던, 기존에 알려지지 않은 중재의 이상반응에 대하여 파악하는 단서가 된다. 이 외에도 증례보고는 가설을 생성하거나 새로운 진단방법을 소개, 치료나 건강 관리의 방안을 제시하거나 교육적 목적 등으로 작성되고 출간된다.[8]

증례보고에서 중요한 내용은 자신이 관찰한 환자에 대한 인구학적 특성, 병력 및 증상, 신체검사 항목 등의 구체적 정보를 담고 있어야 하며, 치료가 시행된 경우 중재에 대한 자세한 정보 및 증례와 관련되어 증상 및 중재의 변화를 시간 순으로 잘 배열하여 제시하는 것이 필요하다. 최근에는 해당 증례를 통해 얻을 수 있는 교훈과 환자의 목소리가 담기도록 증례를 작성하도록 권장하고 있다.[9]

요 약

증례보고는 환자 또는 환자들에 대한 이야기로, 새로운 질병을 초기에 파악하거나 중재의 이상 반응을 보고하는데 활용된다.

환자대조군연구(Case-control study)

표 2-2-2. 환자대조군연구 사례

제목		신부전의 위험은 아세트아미노펜, 아스피린 및 비스테로이드성 항염증제제(NSAIDs)의 사용과 연관되어 있다.[10]
내용요약		진통제를 빈번하게 복용하는 사람들에게서 말기신장질환(ESRD)의 위험도가 높다고 인식되고 있지만, 둘 사이의 연관성에 대하여 확실히 밝혀지지는 않았다. 이에 716명의 ESRD치료를 받는 환자와 361명의 비슷한 연령대의 대조군에 대하여 과거 아세트아미노펜, 아스피린 및 비스테로이드성 항염증제제의 사용에 대하여 조사를 실시하였다. 그 결과 아세트아미노펜을 많이 사용하는 사람의 경우 ESRD가 발생할 위험도가 복용 용량에 비례하여 증가하는 것을 확인하였다. 또한 NSAIDS 성분을 포함한 약을 5000개 이상 누적해서 복용한 경우 ESRD에 이환될 오즈(odds)가 증가된 것과 연관되어 있음을 확인하였다. 하지만 아스피린의 사용은 그러한 연관성을 보이지 않았다.
연구 개요	설계	환자대조군연구
	주평가 변수	아세트아미노펜, 아스피린 및 비스테로이드성 항염증제제의 복용이력과 복용량
	연구 대상자 수	716명의 ESRD 환자와 361명의 비슷한 연령대의 대조군
	결론	아세트아미노펜과 NSAIDS를 자주 복용하는 사람들의 경우 ESRD의 위험도가 증가하지만 아스피린을 자주 복용하는 사람은 그렇지 않았다.

탈리도마이드를 복용한 산모에서 선천성 기형의 비율이 높았다는 1–2건의 증례보고만을 가지고 둘 사이의 명확한 관련성에 대해 결론을 내릴 수는 없을 것이다. Mellin 등은 1962년에 탈리도마이드를 복용한 사람과 복용하지 않은 사람의 비율이 선천성 기형을 가진 태아를 출산한 산모들과 건강한 태아를 출산한 산모들 사이에 차이가 나는지 비교를 통해 탈리도마이드의 복용과 선천성 기형 출산과의 관련성을 밝히는 환자대조군연구를 시행하였다. 이 연구결과 46명의 선천성 사지기형의 장애를 가진 아이를 출산한 산모 중 41명이 임신 4–9주 사이에 탈리도마이드를 복용하였으나 대조군으로써 정상아를 출산한 300명의 산모 중 0명이 탈리도마이드를 복용하였음을 확인할 수 있었다. 이러한 상대적인 분율을 바탕으로 판단할 때, 탈리도마이드와 선천성 기형의 출산 사이의 관련성이 단순한 증례보고에 비해 선명해짐을 알 수 있다.[11]

흡연과 폐암과의 관계에 대하여, 확립되지 않았던 연관성을 증명하여 상식으로 받아들여지게 된 것은 영국의 역학자 Bradford Hill의 흡연에 대한 환자대조군연구로부터였다.[12] 이 연구에서 폐암과 흡연이 관련성이 있는지 알아보기 위해, 폐암환자군과 폐암에 걸리지 않고 다른 질병에 이환되었으나 연령, 성별, 병원에 내원한 기간 등의 조건이 폐암환자군과 유사하게 짝지어진 대조군에서 흡연자의 비율을 비교하였다. 그 결과 폐암환자군의 흡연자 비율(97%)이 짝지어진 대조군의 비율(91.8%)에 비해 높았으며(표 2-2-3), 흡연량에 따른 비율을 검토하였을 때도 폐암환자군에서 1일 15개피 이상 담배를 피우는 사람의 비율이 대조군의 비율보다 높음을 확인할 수 있었다(표 2-2-4). 이처럼 환자대조군연구의 결과는 질병과 위험요인의 노출간의 관련성을 추측해 볼 수 있는 근거를 제공한다.

환자대조군연구의 다른 잘 알려진 국내 사례로 가습기 살균제에 의한 폐손상관련 역학적 조사 연구가 있다. 2011년 4월, 서울의 한 3차병원에서 알려지지 않은 원인으로 심각한 폐손상이 발생한 수명의 환자에 대하여 질병관리본부에 보고한 이후 전국 각지에서 유사한 사례들이 다발적으로 보고되었다. 이러한 사태의 주된 원인이 무엇인지 탐색할 목적으로 환자대조군연구를 수행하였다. 연구의 대상이 되는 환자군은 1) 고해상도 CT (HRCT) 상 양측 폐

표 2-2-3. **흡연과 폐암과의 연관성을 평가한 Hill의 연구**[12]

	폐암환자	짝지어진 대조군
흡연자	1,422	1,345
비흡연자	47	120
총	1,465	1,465
흡연자의 비율(%)	97%	91.8%

표 2-2-4. **폐암환자와 짝지어진 대조군의 하루 평균 흡연량 비교**[12]

하루 평균 흡연량	폐암환자군(%)	대조군
비흡연	47 (3.2%)	120 (8.2%)
1-4개피	63 (4.3%)	109 (7.4%)
5-14개피	546 (37.3%)	637 (43.5%)
15-24개피	456 (31.2%)	416 (28.4%)
25-49개피	311 (21.2%)	163 (11.1%)
50개피 이상	41 (2.8%)	20 (1.4%)
총 수	1,465	1,465

에 폐포중심성병변 혹은 미만성의 간유리음영이 관찰되고, 2) 다른 질병으로 진단할 수 없는 증상이나 증후를 가지며, 3) 20-54세의 젊은 성인환자라고 정의하고, 2006년부터 2011년까지 대상이 되는 HRCT를 전수조사하여 의심이 되는 환자증례를 수집하였다. 대조군으로는 동일한 3차병원을 2011년 내원한 다른 질환을 가진 사람들로 환자군과 나이, 성별 등의 조건을 유사하게 짝지어 모집하고 그 자료를 수집하였다. 그리하여 이 두 군으로부터 임상적 과거력, 기존 폐질환의 여부 등과 같은 기본적인 정보와 실내에서 사용하는 의심이 되는 화학물질 등의 흡입에 대한 노출이 있었는지를 조사하였다. 그 결과 가습기 살균제를 사용한 사람들은

가습기 살균제를 사용하지 않은 사람들에 비해 심각한 폐손상을 당한 오즈(odds)*가 중요 교란요인을 보정한 후에도 47.3배(95% 신뢰구간 6.1에서 369.7) 높은 것으로 조사되었다. 이 연구의 결과는 가습기 살균제가 당시에 유행하였던 심각한 폐손상의 원인이 되었음을 시사하고 있다.[13]

환자대조군연구는 증례보고에 비하여 어떠한 요인(노출 혹은 치료)과 질병과의 관련성을 밝히는데 더 가치있는 정보를 제공해 줄 수 있다. 하지만 연구설계상 환자군의 선정 시 인구집단을 대표하지 못하거나, 대조군이 해당 질병을 가지고 있지 않는다는 점을 제외하고 다른 요인들이 환자군과 비슷한 사람들을 선정하는데 실패하는 경우, 특정 건강결과(outcome)에 대한 평가 및 노출에 대한 정보가 대상자들의 회상에 의존하여 수집되어 부정확할 수 있는 등 연구 수행 과정 중 비뚤림위험이 있는 경우 부정확한 결과가 도출될 수 있다. 또한 역인과성의 문제(reverse causality)도 있을 수 있다. 흡연과 폐암의 연구는 요인과 질병 사이의 인과관계를 혼동하기 어려우나, 노출요인과 질병 사이의 인과관계가 모호한 경우도 흔히 존재한다. 표 2-2-2의 환자대조군연구 사례에서는 NSAIDS의 복용이 신부전 발생 위험의 증가와 관련되어 있다고 결론을 맺고 있다. 하지만 신부전을 가진 환자들의 경우 투석을 시행하는 과정에서 빈번하게 통증을 경험하고, 당뇨나 말초혈관병증을 동반한 경우에는 당뇨병성신경병증이나 신경인성파행 등으로 인하여 통증을 동반하는 경우가 많기 때문에, 이러한 환자들의 경우 진통제를 많이 사용했을 가능성도 있다. 이 경우에서는 신부전이 증가된 진통제 사용의 원인이 되었을 수도 있다.[14] 이렇듯 질병과 요인사이에 시간적 선후관계를 확정짓지 못하는 것을 지칭하여 역인과성 문제라고 하며, 환자대조군연구의 중요한 한계점으로 인식되고 있다.

---

* 오즈(odds): 오즈는 사건이 일어날 가능성을 표현하는 방법 중 하나로, 어떠한 사건이 일어날 경우와 일어나지 않을 경우의 비로 표현된다. 만일 동전을 4번 던져서 앞면이 1번 나오고 뒷면이 3번 나왔을 때 앞면이 나올 오즈는 1/3으로 표현된다. 위험(risk)은 어떠한 사건이 일어날 확률을 의미하며, 사건이 일어날 경우의 수와 전체 경우의 수의 비로 표현된다. 위의 예시에서 위험은 1/4이 된다.

환자대조군연구는 질병의 원인을 탐색하는 첫 단계 혹은 희귀한 질병에 대한 조사와 같이 역학 조사의 목적으로 활용되고 있다.[15]

요 약

환자대조군연구는 특정 질병과 요인 사이의 관련성을 밝히기 위해서 수행되는 연구로, 질병을 가진 환자군과 질병을 가지지 않았지만 다른 특성은 유사한 대조군을 짝지어 자료를 수집, 분석하여, 어떤 요인이 질병과 관련성이 있는지 탐색한다.

단면연구(Cross-sectional study)

표 2-2-5. 단면연구 사례

제목		편두통을 호소하는 환자들이 가지고 있는 가장 불편한 증후들: 2017 미국 편두통 증후 및 치료 연구로부터의 결과[*16]
내용요약		미국 전역의 온라인 연구 패널들로부터 편두통 진단기준을 만족하는 18세 이상의 성인을 모집하고 사회인구학적인 요인들과 가장 불편한 편두통의 증후, 두통관련 장애, 이질통증, 불안이나 우울증상, 시각적인 증상 등에 대해 설문조사를 실시하였다. 이 연구에서는 6,045명의 자료를 분석하였고, 응답자의 평균연령은 47세, 76%가 여성이었으며, 84.8%는 백인이었다. 눈부심(photophobia)은 49.1%가 가장 불편한 증후로 응답하였으며, 그 다음으로 오심(28.1%), 소리공포증(photophobia)은 22.8%로 집계되었다.
연구 개요	설계	단면연구
	주평가 변수 (평가 시점)	가장 불편한 편두통의 증후(6개월)
	연구 대상자 수	6,045명
	결론	이 단면연구에 포함된 대부분의 편두통을 가진 사람들은 오심, 눈부심, 소리공포증을 가지고 있었으며, 가장 불편한 증후의 유형에 따라 대상자들은 다른 특성을 가지고 있음이 확인되었다.

수년 전부터 국내에도 전자담배의 열풍이 불고 있다. 사실 국내에서는 니코틴 농도가 낮은 액상형 전자담배의 경우 기존의 담배사업법에 의하여 담배로 분류되고 있지 않기 때문에 일반담배와 같이 높은 세금을 부담하지 않고, 엄격한 제조 및 성분 표기, 경고 문구 등에 대한 규제에 적용되지 않는다는 점이 주된 이슈로 언급되고 있으나,[17] 외국에서는 전자담

---

* 2017 Migraine in America Symptoms and Treatment (MAST) 연구

배의 보건적 측면의 유용성 등 건강에 대한 문제를 둘러싼 논란이 지속되고 있다.[18]

전자담배와 관련된 주된 보건 이슈 중 하나는 학령기의 청소년과 흡연을 경험하지 않은 젊은 사람들이 니코틴 중독에 이르는 새로운 통로로 전자담배가 이용되고 있다는 점이다. 젊은 사람을 대상으로 추적관찰한 연구 9건을 메타분석한 결과, 처음에는 흡연을 하고 있지 않았던 젊은이들이 전자담배를 이용할 경우, 그렇지 않은 사람에 비해 나중에 흡연자가 될 가능성이 4배나 높다고 보고되었다.[18]

전자담배를 사용하는 것이 기존 형태의 흡연에 비해 건강상 해악이 크지 않지만, 아직까지 장기간 사용에 의한 안전성이 확립된 것은 아니며, 학령기의 청소년과 젊은이들의 전자담배 이용이 장기간에 걸쳐 어떠한 건강상 영향을 끼치는 지에 대한 명확한 결론이 나지 않은 상태에서, 현재 이들 연령층에서 전자담배를 얼마나 사용하고 있는지 파악하고, 그들의 특성에 대하여 조사하는 것은 향후 보건 정책을 수립하기 위한 기초자료가 될 것이다. 이러한 배경하에 현재 우리나라 청소년의 전자담배 사용 실태를 알아보기 위한 방법으로 단면연구를 채용해 볼 수 있다.

한 사례로, 교육과학기술부, 보건복지부, 질병관리본부가 2011년 당시 전국 중고등학교 각 400개교에서 학년별로 1개 학급을 무작위 추출하여, 실시한 '청소년건강행태온라인조사' 결과 자료를 통해 현재 상황을 분석한 단면연구를 살펴보자. 해당 연구를 통해 설문에 참여한 9.4%의 학생이 전자담배를 이용한 경험이 있었고, 4.7%는 조사 당시도 지속적으로 전자담배를 이용하고 있다고 대답하였다.[19] 이 연구의 결과 중고등학교 학생들 중 상당수가 전자담배를 이용하고 그 중 과반수는 지속적으로 전자담배를 사용하고 있다는 것을 파악할 수 있었다. 이처럼 단면연구는 어떠한 보건문제가 얼마나 만연해 있는지를 파악하기 위해 특정 시점에서 조사를 시행하고, 그를 바탕으로 그 시점에 특정 건강문제를 가지고 있는 사람의 비율(유병률)을 추정할 수 있는 근거를 제공할 수 있는 연구방법론이다.

역학에서는 일반적으로 질병과 특정 노출요인과의 관련성을 확인하기 위하여 단면연구를 시행한다. 정해진 대상자들에 대해 특정 시점에 노출요인과 질병의 유무를 조사하여 해당 요인에 노출된 사람 중 질병이 있는 사람의 비율(유병률)과 노출되지 않은 사람들 중 질병이 있는 사람의 비율(유병률)을 계산하여 이를 바탕으로 노출과 질병의 관계를 도출해 낼 수 있다. 이 연구가 환자대조군연구와 다른 지점은 환자대조군연구가 먼저 환자군을 정하고, 대조군을 선정하여 질병과 노출사이의 연관성을 관찰하는 반면, 단면연구에서는 특정 기간 정해진 대상자들 전체를 대상으로 질병의 유무와 노출 여부를 동시에 수집한다는 점이다. 따라서 단면연구가 환자대조군연구에 비하여 더 많은 노력이 투입되지만, 비교적 정확한 유병률 자료를 제공할 수 있다는 점에서 국가 혹은 보건당국에서 보건현황 및 정책수립의 목적으로 많이 활용되고 있다.

하지만 단면연구도 한계점이 있다. 단면연구에서는 노출과 질병여부를 동시에 수집하기 때문에 둘 중 어느 것이 원인이며 결과인지를 명확히 구분할 수 없고, 둘 사이의 관련성을 파악하는 단서만을 제공할 뿐이다. 또한 질병에 의해 사망한 사람의 자료는 포함될 수 없기 때문에 단면연구를 통해 얻은 질병과 노출요인의 연관성이 과소추정될 수 있다. 이러한 측면에서 인과관계를 확인하기 위해서는 코호트연구 등이 차후에 수행되어야 한다.[15]

요 약

단면연구는 특정 보건문제의 현황을 파악하기 위해 조사하는 연구 유형으로, 질병의 유무와 특정 요인의 노출여부를 동시에 수집하고, 그에 의거하여 둘 사이의 관련성을 파악하기 위해 흔히 수행된다.

코호트연구(Cohort study)

표 2-2-6. 코호트연구 사례

제목		전자담배의 사용에 관한 코호트연구: 24개월 시점에서의 유효성과 안전성 [20]
내용요약		전자담배 사용의 안전성과 유효성을 평가하기 위하여 전자담배만 사용하는 사람과 연초만 사용하는 사람, 그리고 둘 다 사용하는 사람들을 24개월동안 전향적으로 관찰하였다. 이 연구를 통해 24개월 이후 금연에 성공하는지, 아니면 연초의 흡연량이 줄어드는지 그리고 전자담배 사용과 관련된 심각한 이상반응이 발생하는지 확인하는 것이 본 연구의 목적이다. 코호트연구의 시작 후 24개월 시점에 229명의 전자담배사용자, 480명의 연초사용자, 223명의 둘다 사용하는 사람에 대한 자료를 수집하였다. 그 결과 전자담배를 사용하는 사용자 중 61.1%는 연초를 사용하지 않고 있었다. 다만 금연(두 제품 모두)에 성공한 사람의 비율은 총 18.8%였으며, 이 비율은 전자담배 사용자군이나 연초사용자군, 둘 다 사용하는 사람의 군에서 유의한 차이가 없었다.
연구 개요	설계	전향적 코호트연구
	주평가 변수 (평가 시점)	연초나 전자담배의 금연 성공여부, 연구 전과 후에 연초 사용량의 차이, 발생가능한 부작용(24개월)
	연구 대상자 수	229명의 전자담배 사용자, 480명의 연초 사용자, 223명의 둘 다 사용하는 사람
	결론	전자담배만 사용하는 것은 연초의 사용을 중지하는데 도움이 될 수 있다. 다만 둘 다 사용하는 경우 연초나 전자담배의 사용을 중지할 확률을 개선시키지 않으나 연초의 사용량을 줄이는데 도움이 될 수는 있을 것이다. 부작용에 대한 데이터는 드물다.

심장질환과 뇌혈관질환은 암에 이어 한국인의 3대 사망원인으로 국가 보건상 중요하게 인식되는 질환이다. 심혈관질환을 예방하기 위해서는 관련된 위험요인의 관리가 중요한데, 고혈압, 흡연, 비만, 고지혈증 등이 심혈관질환에 밀접하게 관련된 중요한 위험인자가 됨은 2000년대를 사는 현대인에게는 상식과도 같이 당연하게 인식되고 있다.[21] 그런데 이들 인자들과 심혈관질환의 관련성은 어떻게 확인되었을까?

지금으로부터 70여 년 전인 1948년 미국의 매사추세츠 지역, 인구 3만명 이하의 소도시인 프래밍햄에서는 당시 미국의 사망원인 1위인 심혈관계질환과 연관된 인자들을 확인하기 위하여 아직 심혈관계질환이 발병하지 않은 30세에서 62세, 5,209명의 남녀를 모집하고, 2년에 한번씩 질병력, 신체적 검진, 혈액검사 등을 정기적으로 시행하고, 관상동맥질환의 발생 여부를 추적관찰하였다. 그 결과를 바탕으로 고혈압, 고지혈증, 흡연, 비만, 신체적인 활동의 부족이 심혈관질환의 주된 위험인자임을 밝혀내었고, 그 외에도 중성지방이나 HDL 콜레스테롤, 연령, 성별, 심리적인 요인 등과 같은 인자들이 심혈관계질환에 어떠한 영향을 끼치는지 밝혀낼 수 있게 되었다. 프래밍햄 연구는 2020년 현재에도 세대를 바꾸어 새로운 대상자들을 모집하여 진행되고 있다.[22] 위에서 언급한 환자대조군연구와 단면연구 모두 질병과 요인간의 연관성을 보여주는데 도움이 되지만, 실제적인 인과성을 밝히는 데 제한점이 있으며, 이 때 필요한 연구방법이 프래밍햄 연구에 적용되었던 코호트연구(Cohort)이다.

코호트란 고대 로마 군대의 단위를 지칭하는 말로, 한 무리의 전사들이라는 의미에 바탕을 두고, 동일한 연령, 지역 등의 특성을 가지고 있는 사람들의 무리를 지칭한다. 코호트연구란 이러한 비슷한 속성을 가진 대상을 정하고, 그 중 아직 관심 질환이 발병하지는 않았지만 특정 요인에 노출된 집단과 노출되지 않은 집단을 선택하고, 정기적으로 해당 대상자들을 관찰하여 특정 질병에 대한 발생률 혹은 사망률 등을 추적관찰하는 연구를 의미한다. 환자대조군연구의 경우 질병을 가진 환자를 모집하고, 그에 짝지어진 대조군을 모집하며, 단면연구의 경우 특정 시점의 조사를 통해 질병을 가지고 있는 사람의 현황을 파악하는데 비하여, 코호트연구는 아직 질병이 발생하지 않은 사람들에 대하여 직관적으로 의심되거나, 혹은 환자대조군연구 등을 통해 추정되는 특정 질병의 위험인자(혹은 노출요인)를 가지고 있는 사람과 가지고 있지 않은 사람들을 오랜 기간 관찰한다. 그 결과 오랜 시간이 경과하게 된 후 노출군과 비노출군 사이의 질병발생율을 비교하여 특정요인(노출)과 질병의 연관성을 파악할 수 있다. 코호트연구도 관찰연구에 포함되며, 다양한 교란인자의 영향을 받아 비뚤림위험이 발생할 수 있지만, 독성물질이나 발암물질 등의 노출요인들이 질병의 발생에 어떠한 영향을 끼치는지 평가하는 경우 윤리적인 측면에서 무작위대조군연구가 불가능하기 때문에, 질병의 원인탐색을 위하여 수행되는 연구 유형 중 가장 높은 근거수준을 제공한다.[15]

코호트연구는 비슷한 속성을 가진 대상을 장기간 관찰하면서 특정 요인의 유무에 따른 발병 여부의 조사를 통해, 질병과 요인과의 확실한 인과관계를 파악하기 위하여 수행된다.

무작위대조군연구(Randomized controlled trials, RCTs)

표 2-2-7. 무작위대조군연구 사례

제목		건성안(안구건조증)의 치료를 위한 침치료의 효과: 활성대조군(인공 눈물)을 이용한 다기관 무작위대조군임상연구[23]
내용요약		건성안(안구건조증)에 대한 침치료의 효과를 평가하기 위해서 중등도에서 중증의 건성안 환자 150명을 모집하여 4주간 침치료 또는 인공눈물 사용(나트륨 카르복시 메틸 셀룰로오스, sodium carboxymethyl cellulose) 후 증상을 평가하였다. 그 결과 치료 종료 후 및 통증 시각상사척도, 삶의 질에 군간 차이는 관찰되지 않았다. 다만 치료 종료 8주 후 평가에서 침치료군이 인공눈물대조군에 비해 안구표면질환지수(ocular surface disease index, OSDI) 및 통증 시각상사척도상 유의미한 호전을 보였다.
연구개요	설계	무작위대조군임상연구
	주평가변수 (평가시점)	안구표면질환지수, 통증 시각상사척도, 눈물막파괴시간(tear film break-up time, TFBUT), 셔머 검사(Schirmer test)(4주)
	연구대상자수	
	결론	침치료는 인공눈물에 비해 건성안의 증상과 관련된 건강결과에 이득이 있을 수 있다.

근거중심의학의 가장 첫 번째 언급되는 원칙은 근거에는 위계가 있다는 점이다. 그러한 근거의 최상위에는 인간을 대상으로 수행된 무작위대조군연구와 체계적문헌고찰이 위치한다. 특정 약물의 효과와 안전성이 세포나 동물연구를 통해서 밝혀졌다고 하더라도, 실제 사람에게 동일한 효과가 발휘되는지 보장할 수 없기 때문에 실험연구에 비해 인간대상연구에 대한 신뢰도가 더 높다. 전세계 대부분의 국가에서는 개발된 신약이 시판되기 전 해당 신약의 안전성과 유효성을 확인하는 위약을 대조군으로 한 무작위대조임상시험의 결과를 신약시판을 위한 허가를 얻기 위해 필수적으로 제출하도록 의무화하고 있다. 또한 이미 광범위하게 사용되는 중재 중 효과에 대한 논란이 있거나 적절하게 평가되지 않은 채 활용되는 다양한 중재의 효과를 평가하기 위하여 무작위대조군연구는 시행되고 있다.

무작위대조군연구의 장점은 무작위배정을 통하여 다양한 교란인자들을 통제하여, 평가의 대상이 되는 중재들 사이의 비교가능성을 보장한다는 점이다. 이러한 측면에서 무작위배정이 실시되지 않는 연구설계를 통칭하는 관찰연구와 비교하였을 때 연구의 설계와 수행 도중 발생할 수 있는 비뚤림을 효과적으로 차단할 수 있는 무작위대조군임상연구가 근거 위계의 최상층에 위치한다는 것은 이미 PART 01에서 언급한 바 있다. 그렇다면 비교되는 군들 사이에 어떠한 기전에 의하여 비교가능성이 보장될 수 있을까? 바로 연구대상자를 각 군으로 배정하기 위하여, 무작위배정순서의 생성(random sequence generation)과 배정은닉(allocation concealment)이 모두 적절하게 수행함을 통해서 달성될 수 있다. 무작위배정순서는 연구자와 연구대상자 모두 어느 중재군에 배정될지 예측할 수 없도록 고안되며, 동전던지기나 주사위던지기 같은 방법부터, 난수표를 이용하거나 컴퓨터를 이용한 난수의 발생을 통해 생성될 수 있다. 이론적으로 대규모의 대상자가 포함된 연구에서 무작위순서를 이용하여 대상자를 배정할 경우 두 군에 배정된 대상자 사이에 주요 특성들이 동일하게 균형을 이룰 수 있으며, 비교군들 사이에 비슷한 크기의 대상자 수가 배정될 수 있다. 만일 군간 불균형이 우려될 경우, 치료군과 대조군의 비율이 1:1로 유지될 수 있도록 연속된 연구대상자를 2명 혹은 4명, 6명 등의 블록(block)을 지정하고, 블록 안에서 무작위순서를 생성하면 두 군사이 대상자 수 불균형을 최소화시킬 수 있다(73p 표 참조.).

무작위배정순서가 적절하게 생성되었다고 하더라도, 순서가 연구자나 대상자에게 노출되게 된다면, 대상자의 군을 배정하는 단계에서 연구자의 판단이나 대상자의 의향에 따라 특정 중재군을 선택할 수 있는 가능성이 있다. 따라서 생성된 무작위번호는 연구대상자에게 배정되기 전에는 연구자 및 대상자 모두에게 공개되어서는 안 된다. 실제로 배정은닉에 문제가 있는 경우 중재의 효과를 과다추정하게 만든다는 증거가 있으며, 배정은닉이 잘 안 된 연구를 배제하고 메타분석을 재시행하였을 때, 중재의 통합된 효과추정치가 감소되거나, 아예 효과가 없다는 결론에 도달할 수 있다고 언급하고 있다.[24]

그렇다면 배정은닉은 어떻게 달성될 수 있는가? 비투과성 봉투(opaque envelope)에 생성된 무작위번호를 순서대로 넣고 봉한 후, 봉투의 겉에 일련번호를 기록하고 대상자가 연구에 참여한 순서대로 해당 일련번호의 봉투를 개봉하는 방법이 연구에서 흔히 사용된다. 또한 최근에는 연구자 및 대상자와 직접 대면하지 않는 제3의 인물이 무작위배정순서를 가지고 있고, 대상자의 배정이 필요한 경우 연구자가 전화나 이메일 등을 이용하여 연락하고, 제3자가 배정하는 중앙무작위배정(centralized randomization) 방법이 사용되기도 한다.[25]

무작위대조군연구의 또 다른 장점은 대상자에게 적용되는 중재에 대한 눈가림(blinding)이 가능하다는 점이다. 증례보고, 환자대조군연구, 코호트연구 등은 모두 어떤 대상자가 어떤 중재(노출)에 해당하는지 대상자와 연구자 모두에게 공개되어 있기 때문에, 중재에 대한 눈가림이 불가능하다. 그런데 눈가림이 적용된 연구와 그렇지 않은 연구를 비교한 경우, 어떤 중재군에 배정되었는지 공개된 경우가 훨씬 더 큰 임상적 효과가 관찰된다고 보고하고 있다.[*, 24, 26, 27] 그러한 이유는 무엇인가? 연구자 및 연구대상자 모두, 대상자가 치료군의 중재에 배정된 경우가 대조군의 중재에 배정된 경우보다 효과가 더 클 것이라고 기대하며, 이러한 기대감에 의해 치료효과를 평가하고, 보고하는데 비뚤림이 개입할 수 있기 때문에 그러하다. 무작위로 각 중재군에 배정이 되고, 연구자나 연구대상자 모두에게 어떤 중재가 배정되었는지 알 수 없도록 설계하는 것은 공정한 효과의 평가를 위해 필요한 요소이다. 따라서 연구가 진행되는 과정에서 연구자, 연구대상자 및 연구결과 평가자가 눈가림을 유지할 수 있도록 적절한 장치를 배치하고 설계하는 것이 중요하다.[25]

---

* 본문의 언급과는 반대로 연구대상자의 눈가림 여부가 효과에 미치는 영향은 생각보다 크지 않다는 연구도 있으나, 임상연구에서 눈가림은 일반적으로 실행비뚤림을 줄여 연구의 질을 높이는데 중요한 요인으로 인식되고 있다.

무작위대조군임상연구는 여러가지 유형의 임상연구 중 근거의 위계 상 가장 높이 위치하며, 무
작위배정과 눈가림 방법을 통하여 비뚤림위험을 적절히 통제할 수 있는 연구방법으로, 새로 개발
된 신약이나 의료기기의 시판 전 필수적으로 실시된다.

❯ 무작위배정시 블록 사용 예시

블록이 있는 경우(예 block size가 6) 무작위배정순서	블록이 없는 경우 무작위배정순서
(치료군, 치료군, 대조군, 대조군, 치료군, 대조군), (대조군, 치료군, 대조군, 대조군, 치료군, 치료군), (치료군, 대조군, 치료군, 대조군, 치료군, 대조군), (대조군, 치료군, 치료군, 대조군, 대조군, 치료군), (대조군, 대조군, 대조군, 치료군, 치료군, 치료군)	치료군, 치료군, 치료군, 치료군, 치료군, 대조군, 치료군, 대조군, 치료군, 대조군, 치료군, 치료군, 치료군, 대조군, 대조군, 대조군, 대조군, 대조군, 치료군, 대조군, 치료군, 치료군, 치료군, 대조군, 치료군, 대조군, 대조군, 대조군, 대조군, 대조군

두 경우 모두 연구대상자 30명에 대한 무작위번호를 생성한 사례이다. 왼쪽의 무작위배정순서는 6을 단위로 하는 블
록을 설정하고 생성하였으며, 오른쪽의 무작위배정순서는 블록이 없이 생성되었다. 두 경우 모두 치료군과 대조군은
15명씩으로 1:1 무작위배정이 된 것을 알 수 있다. 이렇게 무작위배정순서가 정해진 상태에서 연구를 진행하다가,
15번째 대상자를 마지막으로 연구가 조기종료된 경우를 가정해보자. 이 경우 왼쪽은 치료군과 대조군에 배정된 수가
8:7로 두 군이 유사함을 알 수 있다. 하지만 오른쪽의 경우 치료군과 대조군은 10: 5로 두 군간 대상자 수가 크게 차
이가 나게 됨을 확인할 수 있다. 블록을 이용하여 무작위배정순서를 생성하게 된 경우 블록 내부에 치료군과 대조군의
대상자 수가 동일하게 되어, 연구가 조기에 종료되더라도 군간 대상자 수의 비율이 유지되는 장점이 있다.

교차시험(Crossover study)

표 2-2-8. **교차시험의 사례**

제목	치료를 받고 있는 야간뇨 환자의 주간 졸림에 대하여 아르모다피닐(Armodafinil)의 효과를 검증하는 이중눈가림, 위약대조군 교차시험[28]
내용요약	야간뇨는 수면을 방해하여 주간 졸림을 유발하는데, 야간뇨에 대한 표준치료가 상대적으로 효과가 충분하지 않기 때문에, 표준치료를 받음에도 불구하고 야간뇨를 호소하는 사람들의 졸림에 아르모다피닐이 유효한 지를 평가하기 위해 이 연구가 시행되었다. 28명의 표준치료를 받고 있는 야간뇨 환자에게 각 4주간 아르모다피닐과 위약을 무작위순서로 모두 복용하게 하고 평가하였다. 그 결과 아르모다피닐은 위약에 비해 졸림증상을 개선시켰으며, 야간뇨의 빈도나 이상반응의 발생을 위약에 비해 더 많이 발생시키지 않았다.

연구 개요	설계	이중눈가림, 위약대조군 교차시험
	주평가 변수 (평가 시점)	엡웰스졸음증척도(Epworth Sleepiness Scale), 졸림에 대한 전반적인 임상적 호전정도(4주)
	연구 대상자 수	총 28명
	결론	아르모다피닐이 주간 졸림에 유효할 수 있다는 가능성을 보여주지만 예비연구이므로, 향후 대규모 연구를 통해 임상효과에 대한 확증이 필요하다.

일반적인 무작위대조임상연구는 연구대상자를 치료군과 대조군으로 배정한 후 각각의 중재를 적용하고, 평가가 별도로 진행되는 평행설계(parallel design)연구이다. 이에 비교해서 교차시험(crossover study)은 비교되는 중재들을 한 번씩 번갈아가면서 투여하고 평가하면서 진행되는 연구설계이다. 각각의 연구대상자들은 치료군의 역할과 대조군의 역할을 모두 경험하게 되므로, 연구에 필요한 대상자의 수를 줄일 수 있는 장점이 있다. 모든 경우에 교차시험이 가능한 것은 아니고, 특정한 조건을 만족하는 경우 수행된 연구결과를 신뢰할 수 있게 된다. 질환의 경과가 매우 급격하게 진행되는 급성질환의 경우 자연경과와 치료효과를 분리할 수 없기 때문에 교차시험에서 평가하기 어렵고, 두 중재 중 어느 한 중재에 의해 모든 증

상이 완치되거나 사망이 발생할 수 있는 경우에도 적용할 수 없다.

이러한 연구 한계에도 불구하고, 연구대상자의 모집이 쉽지 않고 드물게 발생하는 질환에 대하여 중재들의 효과를 비교할 경우와, 임상시험의 단계 중 건강인에게 약재의 약동학 및 약력학적 평가를 위해 다양한 농도의 약물을 투여하는 연구 등에 활용되고 있다. 교차시험의 설계 시 주의할 점이 있다. 먼저 비교되는 중재들 각각의 치료가 종료된 이후에 효과가 유지되었다가 소실되는 약효세척기간(washout period)을 충분히 거친 후 다음 중재의 치료가 적용되어야 한다. 또한 첫 번째 중재의 적용 이후 두 번째 중재를 적용할 때, 첫번째 치료의 효과가 이어지는 잔류효과(carryover effect)의 영향이 적절하게 배제되어야 한다.[29]

교차시험은 연구대상자가 치료군의 중재와 대조군의 중재를 일정 시간 간격을 두고 번갈아 가면서 모두 투여받는 임상연구의 방법이다.

군집무작위배정연구(Cluster-randomized studies)

표 2-2-9. 군집무작위배정연구의 사례

제목		청소년기 여성 축구선수들의 급성 무릎 손상의 예방: 군집무작위대조임상시험[30]
내용요약		신경근육 워밍업 프로그램(neuromuscular warm-up programme)이 청소년기 여성 축구선수들의 급성 무릎 부상의 발생을 줄일 수 있는지 평가하기 위해 230개의 스웨덴 축구 클럽을 대상으로 2009년 한 시즌 동안 연구를 진행하였다. 지역을 층화하여 참여를 희망하는 축구 클럽을 무작위배정하고, 동일 클럽 내의 모든 선수는 동일한 프로그램에 참여하였다. 대조군에 비해 치료군은 시즌 내내 주 2회 15분동안 특수한 신경근육 워밍업 프로그램을 시행하였고, 대조군은 이전에 시행하였던 준비 운동을 변함없이 시행하였다. 그 결과 치료군에서는 7명, 대조군에서는 14명의 전방십자인대 손상 환자가 발생하였다.
연구 개요	설계	군집무작위배정연구
	주평가 변수 (평가 시점)	전방십자인대 손상, 4주 이상 경기에 결장할 정도의 심각한 무릎 손상의 비율(7개월)
	연구 대상자 수	4,564명의 선수
	결론	15분간의 신경근육 워밍업 프로그램은 전방십자인대 손상의 비율을 감소시킨다.

군집무작위배정연구는 개별 환자를 무작위배정하는 일반적인 형태의 무작위대조임상연구와는 달리 기관에 속해있는 모든 사람 또는 사람의 집단 전체를 대상으로 무작위배정하는 연구로, 개별 환자에 대한 무작위배정이 어렵거나 불가능한 경우에 채용하는 연구설계방법이다.[31] 군집무작위배정연구는 군집(cluster)의 갯수와 군집별 대상자의 수를 모두 계산해야 하며, 군집의 수가 적으면서 각 군집 내 대상자 수가 많은 것보다는 군집의 수가 많으면서 대상자 수가 다소 적은 것이 더 큰 검정력을 갖는다.[31]

군집무작위배정연구를 해석할 때는 몇 가지 사항에 대해서 유념해야 하는데, 첫 번째는 모집비뚤림(recruitment bias)이 존재하는지 여부이다. 이것은 연구 진행 순서 상 무작위배정의 대상이 되는 모든 집단에서 연구에 참여할 대상자의 모집이 완료된 이후, 각 군집별 무작위배정이 진행되어야 하는데, 반대로 군집별배정이 완료된 이후에 군집 내 대상자를 모집하게 될 경우, 연구에 참여하는 대상자는 연구시작 전에 어떠한 치료를 받게될 지 미리 알게 될 수 있기 때문에 발생가능한 비뚤림이다.[31, 32] 이 외에도 연구시작시점에서 대상자들의 주요 인구학적특성 및 질환의 중증도 등에 차이가 있을 수 있다(baseline imbalance). 또한 전체 군집 자체가 연구의 참여를 중단할 수 있으며, 군집 내에서도 탈락이 발생할 수 있는데, 이렇게 누락된 자료가 비뚤림을 유발할 수 있다. 그리고 자료를 분석하는 과정 중 군집에 의한 영향을 고려하지 않고 분석을 잘못 수행하는 경우도 있다.[31, 32] 군집무작위배정연구에서는 이러한 요인들이 적절하게 통제된 채로 연구를 진행하여야 하며, 결과의 분석 시에도 주의를 기울여야 한다.

요 약

개별 환자의 무작위배정이 어렵거나 불가능한 경우, 대상자들이 속한 집단 전체를 무작위배정하여 연구를 시행하는 경우 군집무작위배정연구라고 한다.

03

임상연구의 윤리와 규제

사람을 대상으로 하는 연구는 윤리적인 기초 위에 진행되어야 한다. 특히 사람에게 효과와 안전성이 확립되지 않은 중재를 직접 제공하는 임상시험의 경우 중재에 의한 이득이 발생할 수도 있지만, 불가피한 위해가 가해질 수 있기 때문에, 윤리적인 측면에서 더욱 주의를 기울여야 한다.

의학은 임상연구의 결과 위에 수립되었으며, 특히 근거중심의료를 지향하는 현대 사회에서 임상연구는 불가피한 연구주제로 인식되고 있다. 하지만 2차세계대전 중 비윤리적인 방법에 기초한 인간대상연구로 인하여, 많은 사람들이 희생되었고, 이를 통해 얻어진 연구결과를 바탕으로 하여 현대 의학이 발전되었음을 인식하고, 앞으로는 인간으로서의 권리, 안전, 복지를 보장하는 범위 내에서 임상연구가 설계, 수행되는 것이 바람직하다는 인식을 가져야 한다. 이 장에서는 자주 거론되는 연구윤리의 중대한 사건에 대해서 언급하고, 임상연구 윤리의 기본적인 원칙 및 국내의 임상시험에 대한 규제 현황에 대하여 간단히 검토해 보고자 한다.

터스키기 매독 연구(Tuskegee syphilis study)

"미국의 매독 환자들이 40년동안 치료되지 않은 채 방치되었다."

1972년 뉴욕타임즈는 해당 제하의 1면 기사를 통해 터스키기 매독 연구를 폭로하였다.[33] 이 연구는 매독의 자연사를 관찰하기 위해 1932년부터 연구가 중단되는 72년까지 미국의 앨러배마의 메이컨(Macon) 카운티에서 치료를 받지 않았던 400명의 잠재성 혹은 후기 흑인 매독 환자와 200명의 매독에 이환되지 않은 흑인 대상자를 모집하여 미국 공중보건국의 주도로 진행되었던 인간대상연구이다. 당시 연구대상자들에게 실제로는 매독의 신경학적 경과를 관찰하기 위해 척수 천자를 시행한 것이었으나 '특수한 무료 치료'를 제공한다고 허위 정보를 제공하고 연구대상자를 모집하였고, 대상자들에게 충분한 정보에 근거한 사전동의(Informed consent)없이 연구를 진행하였다. 가장 큰 문제는 연구가 시작된 1932년에는 비소와 비스무트 혼합물과 같은 중금속 치료가 통상적인 치료로 인식되고 있었으나, 1940년대에 이르러서 페니실린이 매독에 대한 안전하고 효과적인 치료방법으로 알려지고 사용가능하게 되었음에도 불구하고, 대상자들이 적절한 치료에 관련된 정보를 얻지 못하고, 치료를 받을 기회로부터 차단되었다는 점이다.[34] 또한 연구대상자들이 적절한 치료를 받지 못함으로 인해 그 가족들 또한 질병에 이환될 위험이 높아졌음도 간과할 수 없는 부분이다.

연구가 시작된 지 40여년이 흐른 뒤 미국 공중보건국에서 근무하는 Peter Buxtun은 해당 연구의 윤리적인 문제에 대하여 미국 질병관리본부와 공중보건국에 호소하였으나 해결이 되지 않자 내부 고발의 형태로 문제제기를 하였고, 이후 사회적인 공분을 이끌어 내었다. 이를 통해 미국 의회에서는 1974년에 '생의학적, 행동 연구에서의 인간대상자 보호'를 위한 위원회를 출범하고, 이를 바탕으로 연구대상자 보호를 위한 규정을 제정하는데 이르렀다.[34] 이 위원회는 훗날 인간대상연구의 중대한 윤리적 원칙을 구성하는 주요 개념인 인간존중, 선행, 정의의 개념을 정립한 벨몬트 보고서(Belmont report)를 출간하여 윤리적인 측면에서 인간대상연구를 진일보시킨 계기가 되었다.[35]

이후 국가를 상대로 한 소송을 통해 천만 달러에 달하는 배상판결이 내려졌고, 터스키기 보건급여 프로그램을 통해 연구에 참여한 대상자들과 부인, 미망인, 자녀들에게 평생 동안 의료서비스와 사망 후 장례서비스를 제공하고 있다.[36] 이 사건을 계기로 인간대상연구에서 해당 연구에 참여함으로 인해 발생할 수 있는 이득과 위해 및 현존하는 통상 치료 등에 대한 충분한 정보를 사전에 제공하고 이에 근거하여 동의를 취득하는 것이 필수적이라는 점과, 확립된 치료가 있을 경우 연구라는 미명하에 단순히 만성경과를 관찰만 하는 것은 용납될 수 없다는 인식이 확산되었다.[37]

윌로우브룩 간염 연구(Willowbrook hepatitis study)

윌로우브룩 주립 학교는 미국 뉴욕의 스테이튼 아일랜드(Staten Island)에 발달장애 아동을 수용할 목적으로 설립된 시설이었으며, 윌로우브룩 간염 연구는 해당 시설의 부적절한 관리로 인하여 아동들에게 간염의 발병률이 높은 상황에 착안하여 간염의 자연사를 연구하고 감마글로블린의 효과를 평가하기 위하여 수행되었다.[38]

연구는 3단계로 진행되었는데, 첫 번째 연구와 두 번째 연구에서는 이미 수용된 아동 중 간염에 이환된 아동을 감마글로블린 주사군(첫 번째 연구에서는 몸무게당 0.01 mL, 두 번째 연구에서는 몸무게당 0.06 mL)과 무처치군으로 배정한 후 증상을 관찰하였고, 세 번째 연구에서는 새로 입소한 간염에 이환되지 않은 아동에게 감마글로블린을 먼저 투여한 후, 한 군에게는 윌로우브룩의 환자 분변으로부터 얻은 간염 바이러스를 복용하게 하여 간염에 이환시킨 군 혹은 대조군으로 배정하여 임상경과를 관찰하였다.[38]

해당 연구를 수행한 연구자들이 연구가 정당하다고 주장하였던 이유는 다음과 같다.
① 입소한 아동들이 대부분 6개월에서 12개월 이내에 간염에 걸렸다.

② 아동이 간염에 이환될 경우 증세가 비교적 가볍다.

③ 연구 중 소아에게 감염시키는 바이러스는 해당 시설에서 유행하는 바이러스 종이다.

④ 연구대상자 소아들은 다른 세균성이질이나 기생충 감염이 발생하지 않도록 위생적이고 격리된 환경에서 양육, 관찰된다.[39]

하지만 어른들을 대상으로 연구를 먼저 수행하지 않았고, 취약한 대상자인 수용 시설의 정신지체 아동들에게 우선적으로 연구를 시행한 점, 해당 시설의 열악한 시설과 환경을 개선시켜 간염의 유행을 막고자 하지 않고, 임상연구라는 효과와 안전성이 보장되지 않은 방법을 통해 병의 유행을 막으려 했다는 점 등이 지적되었다.[38] 특히 윤리적인 측면에서 인위적으로 간염 바이러스에 노출되게 하는 연구에 참여시키기 위해 아동들의 부모를 6인에서 8인씩 무리지어 연구에 대해 설명하고, 동의를 취득하였기 때문에, 해당 시설에 입소를 희망하는 부모의 자발적인 참여 결정을 방해할 수 있는 우려가 있었다.[40] 특히 대상자의 모집을 위해서, 새롭게 수용을 희망하는 부모에게 해당 시설의 수용인원을 초과하였다고 안내한 후 1-2주 후 '간염 연구를 위한 병동'에는 입원 가능하다고 안내하여 부모들이 어쩔 수 없이 연구에 참여하도록 결정할 수 밖에 없도록 만들었기 때문에[38] 비판을 받게 되었다. 이 연구는 취약한 연구대상자를 연구에 참여시키는 문제, 충분한 정보에 근거하지 않은 동의의 취득, 불합리한 압력을 통해 연구대상자를 모집하였다는 측면에서 윤리적인 비판을 받게 되었다.[41]

인간대상 의학연구의 윤리적 원칙의 수립에 대한 요구

뉘른베르크 전범재판은 2차 세계대전 후 패전국 독일의 전쟁범죄에 대한 12건의 국제군사재판을 통칭하는 것으로, 그 중 의사재판(Doctors' trial)을 통해 민간인과 전쟁포로를 대상으로 치명적인 비인간적 의학실험을 자행하였던 나치 독일 의사들의 범죄행위가 만천하에 드러나는 계기가 되었다.[42]

이 재판의 결과 인간대상 의학연구에 대한 윤리적인 기본 원칙이 필요하다는 인식하에, 해당 재판의 법관들이 의학 자문을 통해 재판의 판결문 뒤에 '뉘른베르크 강령(Nuremberg code)'이라는 일련의 윤리원칙을 발표하였다.[43] 이 강령은 총 10조로 구성되어 있으며, 연구대상자의 자발적인 동의가 인간대상연구의 절대적 필수 요소로 규정하고 있으며, 연구의 책임을 맡은 연구자들의 대상자 보호 책무에 대하여 언급하여 의학연구의 윤리적 수행이 매우 중요하다는 원칙을 제시하였다.[44]

하지만 뉘른베르크 강령 자체가 개별 국가에서 법으로 제정된 것이 아니어서 강제성이 없다는 점, 나치의 인체실험은 매우 잔혹하여 다른 의학연구와 다르다는 점, 인간대상연구의 경우 대상자의 권리보호가 연구에 앞서야 된다면 과연 인간대상 의학연구가 왜 수행되어야 하는지에 대한 이유를 제시하고 있지 못하다는 점, 아동이나 정신적인 문제가 있어 자발적 동의를 얻지 못하는 대상자들을 포함한 연구에 대하여 전혀 언급이 없다는 점 등은 한계로 지적되었다.[43] 그럼에도 불구하고, 뉘른베르크 강령은 향후 헬싱키 선언 및 각국의 임상시험관련 지침의 개발을 위한 논의의 출발점으로써 중요한 위치를 차지하고 있다.

헬싱키 선언(Declaration of Helsinki)

헬싱키 선언(Declaration of Helsinki)은 세계의사협회에 의해서 1964년 세상에 처음 등장한 이래 2013년 최신판이 제출되기까지 총 7회 개정 및 공표된, 인간을 대상으로 하는 의학연구에 대한 윤리적 원칙을 담은 선언문이다.[45] 헬싱키 선언은 뉘른베르크 강령에서 제시된 윤리적 연구의 원칙에 대한 개요를 더욱 명확하게 해석하고 있으며, 특히 인간의 복지를 증진시키는 중요한 사회적 전략으로써 임상연구의 타당성에 대하여 언급함과 동시에, 윤리적인 연구를 시행하는 실제적인 과정들에 대하여 구체적으로 언급하고 있어서, 현대 임상연구의 중요한 윤리적 지침으로 활용되고 있다.[43]

1964년에 발간된 초판은 '서문', '일반원칙', '전문적인 돌봄과 결합된 의학연구(임상연구)', '인간을 대상으로 하는 비치료적 생의학연구(비임상 생의학연구)'의 표제 하에 영문 700여 단어로 구성된 비교적 짧은 지침서의 형태였으나, 최신 7차 개정판은 '서문', '일반원칙' 이외에 '위험, 부담 및 이익', '취약한 집단 및 개인', '연구윤리위원회', '사생활과 비밀유지', '충분한 설명에 의한 동의', '위약의 사용', '임상시험 후 지원', '연구등록 및 결과의 출간 및 배포', '임상실무에서 입증되지 않은 시술' 등 인간대상연구와 관련된 주요 윤리적 사안별로 구체적인 지침을 제공하고 있으며, 영문 2,200여 단어로 초판에 비해 내용이 대폭 추가되었다.[46]

헬싱키 선언의 1975년 도쿄 개정판에서는 의학연구의 특성과 목적, 인간대상연구 계획서의 독립적인 위원회의 사전 검토, 연구대상자 개인의 이익의 중요성, 연구결과의 출판 의무, 고지된 동의에 대한 요구, 연구계획서의 헬싱키 선언 준수 표명, 현존하는 최선의 치료를 대조군으로 활용, 최선의 치료에 접근 가능성 보장, 연구 참여 거부 권리와 비치료적 인간대상 생의학 연구에서의 동의 및 대상자의 복지 보장 등에 대한 내용을 다루고 있었으나,[47] 최신 개정판에서는 헬싱키 선언의 적용범위가 인간대상연구에서 개인을 식별할 수 있는 인체유래물이나 정보를 이용하는 연구까지 확대되었다. 취약한 연구대상자에 대한 보호, 개인정보의 비밀유지, 충분한 설명에 의하여 동의할 능력이 없는 대상자를 포함한 연구의 당위성과 동의절차, 인체유래물이나 개인정보 이용 연구에서의 동의, 위약 사용의 당위성, 인간대상연구계획의 임상연구 레지스트리의 등록 및 구체적인 출판 지침 등에 대한 내용 등이 추가되었다.[46] 특히 7차 개정판에서는 대상자가 연구 참여 도중 손상을 당하게 된 경우 반드시 보상과 치료를 제공받아야 한다는 내용이 최초로 추가되어, 인간대상연구의 의뢰자, 연구자 및 해당 국가 정부의 연구대상자 보호 의무를 강화하는 방면으로 개정되었다.[48] 헬싱키 선언은 연구윤리의 새로운 쟁점들 및 연구 환경 변화에 따른 요구를 반영하여 지속적으로 검토되고 있으며, 필요한 경우 업데이트되고 있다.

벨몬트 보고서(Belmont report)

벨몬트 보고서(Belmont report)는 터스키기 매독연구 이후 고조된 인간대상연구의 대상자 보호에 대한 사회적인 요구에 부응하여 미국의 '생명의료 및 행동연구의 대상자 보호를 위한 국가위원회'에 의해 1979년 발표되었다.[49] 뉘른베르크 강령이나 헬싱키 선언 같은 윤리적 강령들의 경우 세부적인 규칙의 형태로 제시되어, 내용이 상충되거나 해석이 어려운 경우가 실제 적용 과정 중 종종 발생하기 때문에, 이러한 지침의 근간이 되는 윤리적 원칙이 필요하다고 인식하고, 인간대상연구에서 고려해야 할 가장 기본적인 원칙과 그의 실제적 적용에 대한 근거를 제공하는 것이 벨몬트 보고서가 발표되게 된 이유로 볼 수 있다.[50]

이 보고서는 크게 3개 파트로 구성되어 있으며, 첫 번째는 시술(진단과 치료)과 연구의 차이에 대한 정의가, 두 번째는 인간대상연구의 기본 윤리원칙이, 세 번째로는 윤리원칙의 구체적인 적용 시 고려할 사항 등이 기술되어 있다.

벨몬트 보고서에 제시된 3대 윤리원칙 곧 인간 존중(respect for persons), 선행(beneficence), 정의(justice)는 일반적으로 받아들여지는 기준으로써 인간대상연구의 다양한 윤리적 판단 및 장치들의 정당성을 지지하는 핵심적 기준으로 사용되고 있다.[50] 인간 존중은 인간에게 자율성이 있으며(autonomous), 자율 능력이 부족하거나 결여된 사람도 보호받을 권리가 있다는 것으로, 인간대상연구에서는 충분한 정보에 근거한 동의를 취득하고, 취약한 연구대상자 곧 미성년자나 집단시설(예 교도소)에 수용된 자들에 대한 보호 및 자발성의 보장 등에 의하여 달성될 수 있다. 선행은 인간에 대한 복지를 보장해야 한다는 원칙으로, 연구대상자에게 해를 입히지 말아야 하며, 불가피한 경우 피해는 최소화하면서 이익을 극대화해야 한다는 것이다. 이것은 연구와 관련된 위험과 이득에 대하여 연구 시작 전 임상시험심사위원회에서 '가능한 해악의 확률 및 규모와 예상되는 이득'에 대하여 체계적으로 평가, 검증하는 과정을 통해 달성될 수 있다.[49, 50] 마지막으로 정의는 연구에서 생기는 이득과 부담에 대하여 누구나 동등하게 취급되어야 한다는 것으로, 연구의 참여를 통해 발생할 수 있는 불이익을 받는 사회적 계층과 연구의 이익을 누리는 대상이 달라서는 안됨을 의미하며, 이는 연구 과정 중 대상자의 선정이 공정한 절차를 통해서 진행될 때 성취될 수 있다.[51]

벨몬트 보고서는 인간대상연구의 기본적인 윤리원칙을 제시하였다는 점과 임상시험심사위원회(기관생명윤리위원회)를 통한 연구 심의 과정을 거쳐 연구대상자를 보호하는 데 기여하였다는 측면에서 중요하게 평가받고 있다. 하지만 발간된 지 30여년이 경과한 현시점에서, 전자건강자료를 이용한 연구나 생체정보를 이용한 연구, 가상현실 상 동의의 문제 등 이전에는 존재하지 않았던 형태의 인간대상연구 및 시대상을 반영한 윤리원칙의 추가 내지는 새로운 원칙의 제정이 필요하다는 요구도 있다.

요 약

임상연구와 관련된 윤리적인 원칙은 2차 세계대전 이후 다양한 사건들을 거치면서 수립되었다. 연구대상자의 동의, 임상시험심사위원회(기관생명윤리위원회)를 통한 임상연구계획의 사전 검토 및 승인, 연구대상자의 보호는 임상연구가 윤리적으로 수행되기 위하여 필수적인 사항들임을 기억해야 한다.

임상시험심사위원회(기관생명윤리위원회, Institutional Review board, IRB)

종종 임상연구의 결과를 담은 논문의 출간이 취소되는 경우가 있다.[52] 그러한 논문들 중 연구윤리와 관련해서 중요한 이유 중 하나는 연구 계획에 대한 임상시험심사위원회(institutional review board, IRB)로부터의 승인이 없었으나, 논문에는 사전에 승인 받은 것으로 허위 기재했다는 사례일 것이다. 사람을 대상으로 약이나 의료기기의 효과를 평가하는 임상시험은 물론, 인체로부터 유래된 유래물이나 개인 정보를 이용한 연구의 경우에도, 연구의 계획에 대하여 IRB의 사전 심의 및 승인을 취득한 후 시행되지 않을 때 임상연구의 기본 원칙을 위반한 중대한 연구부정행위로 해석할 수 있다. 이 장에서는 IRB라는 조직과 운영에 대하여 개괄적으로 다루어보고자 한다.

IRB는 위에서 살펴본 벨몬트 보고서의 3가지 원칙 중 '선행'의 원리에 기반하여, 가능한 한 연구대상자에게 불필요한 위해를 가하지 않도록 사전에 임상연구 계획을 검토하고, 동의를 받기 위한 서식(동의서)이나 대상자 모집 광고들을 점검하여 임상연구에 참여하는 대상자의 권리, 안전, 복지를 보장하기 위해 연구기관 내에 설립, 운영되는 독립적인 기구이다. IRB의 임무와 구성, 운영 등에 대해서는 의약품 임상시험 관리기준과 생명윤리 및 안전에 관한 법률 등에 규정되어 법률적 체계 내에서 관리되고 있다.

그러면 어떤 연구가 IRB의 심의 대상이 되는가? 임상시험용의약품과 임상시험용의료기기를 이용하여 사람을 대상으로 실시하는 연구는 의약품(의료기기) 임상시험 관리기준에 의거 심의의 대상이 된다. 또한 생명윤리 및 안전에 관한 법률에서는 '인간대상연구'의 경우 IRB의 심의를 받아야 하는 것으로 규정하고 있는데, '인간대상연구'에는 임상시험은 말할 것도 없고, 인간을 대상으로 하는 모든 형태의 연구를 광범위하게 포함하고 있다. 이에 그치지 않고 인체로부터 수집한 조직, 세포, 혈액, 체액 및 분리해낸 혈청, 혈장, 염색체, DNA, RNA를 이용하는 인체유래물연구로 분류된 경우에도, 인체유래물기증자의 개인정보가 연구에 활용되어 제공자에게 잠재적인 위험을 끼칠 수 있는 경우에는 IRB의 사전승인 대상이 된다. 결국 사람을 직접 대상으로 중재의 안전성과 유효성을 평가하는 전형적인 유형의 임상시험에서부터, 대상자의 행동을 관찰하거나 대면하여 진행하는 설문조사연구, 개인을 식별할 수 있는 정보를 이용하여 수행되는 연구 및 개인정보가 결합된 인체유래물연구 등 사람과 관련되어 있는 거의 모든 연구는 IRB의 사전심의 및 승인 후 진행하는 것이 원칙이라고 이해해야 한다.[53]

이러한 측면에서 IRB의 가장 중요한 업무는 임상시험계획서와 동의서 등의 문건을 접수받아서 연구계획을 심의하는 것이다. 의약품 임상시험 관리기준에서 명시하고 있는 심사위원회의 임무는 연구대상자의 권리와 안전, 복지를 보호하고, 취약한 환경에 있는 대상자* 등을 보호하기 위하여 연구의 타당성을 검토하는 것으로 규정되어 있다.[54] IRB는 과학적 측면에서 문제가 있는 연구는 윤리적으로도 문제가 있다라고 보는 관점을 견지하며, 경력과 자격을 갖춘 의료인을 포함한 과학계 위원과 변호사나 종교인 같이 임상연구기관에 소속되지 않은 비과학계 위원으로 구성되며, 해당 연구계획의 윤리적, 과학적, 의학적 측면을 검토, 평가한다. 연구 심의는 위원회의 과반수 위원이 소집 후 대면하여 진행되는 정규심의와 정규 소집회의 없이 소수의 위원들에 의해서 진행되는 신속심의로 분류된다. 이미 승인된 연구의 사소한 변경이나 이상약물반응의 조치, 임상시험 종료 보고 등과 같이 IRB에서 정한 건들에 한하여 신속심의에서 심의되고, 대부분의 신규 연구 등은 정규심의를 통해 심의된다. 심의 결과 승인을 받은 경우 승인을 받은 날짜 이후에 바로 연구를 시작할 수 있다. 시정승인을 받은 경우에는 심의의견을 반영하여 연구계획서 등을 최소한으로 보충 혹은 변경 이후 연구가 가능하며, 보완을 받은 경우 윤리적, 과학적 측면의 중대한 문제를 소명하고 적절한 변경 이후 IRB의 검토 및 승인을 받아야 연구가 가능하다. 만일 반려인 경우에는 해당 연구계획의 전면적인 재검토 및 IRB의 재심사가 필요한 경우로 이해할 수 있다. 이 외에도 연구 진행 과정에 중대한 문제가 발견되거나, 중대한 이상반응이 발생한 경우 기승인

---

* 자발적인 연구의 참여결정에 영향을 받을 수 있는 환경에 있는 대상자(의과대학 학생, 군인, 수감자 등)나 불치병에 걸리거나 시설에 수용되어 자유의지에 의해 동의를 제공할 수 없는 대상자를 지칭한다.

된 임상연구의 중지나 보류조치를 내릴 수 있는 권한도 IRB가 가지고 있다.[54]

마지막으로 IRB에서 임상연구 심의 시 주요 대상이 되는 위험이익평가에 대해 간략히 설명한다. 임상연구는 대상자에게 가해질 위해를 최소화해야 하고, 위해는 기대되는 이익을 상회하지 않도록 계획되고 수행되어야 한다. 이러한 관점에서 해당 연구의 위험과 이익에 대하여 평가하는 것은 연구의 윤리성을 판단하는데 중요한 근거가 된다. 위해에 대한 위험 (risk of harm)은 특정 연구에 참여함으로 인하여 초래될 수 있는 육체적, 정신적 혹은 사회적인 모든 종류의 손상에 대한 가능성을 의미하며,[55] 이익(benefit)이라는 것은 연구 참여를 통해 참여자 자신이 질병이 치료되거나 증상이 호전되는 등의 직접적으로 경험하는 긍정적인 결과 및 사회 전체가 질병이나 인체의 생리에 대한 지식을 얻음으로 인해 발생할 수 있는 간접적인 이득을 포괄한다. 위험이익평가를 위해 가장 먼저 파악할 것은 해당 연구와 관련된 위험의 강도와 발생 가능성에 대한 정보이다. 여기에서 최소위험(minimal risk)이라는 개념이 등장하는데, 연구에 의하여 발생될 수 있는 해악이나 불편의 가능성 및 정도가 일상생활에서 발생 가능한 위험 혹은 평균적 진료 상황 하에서 일반적으로 행해지는 신체검진, 검사와 비교하였을 때 더 크지 않을 정도의 위험이라고 정의하고, 해당 연구에서의 위험이 최소위험을 상회하지 않는지, 비슷한 정도의 위해이거나 조금 상회하는지, 아니면 최소위험을 크게 상회하는지 여부를 판단한다.[56] 그 후 위험을 최소화 할 수 있는 조치가 적절하게 구비되어 있는지, 그리고 위해가 이익에 비해 납득할만한 수준인지 검토한 후 최종적인 결정을 내리게 된다. 그러나 어느 정도의 위해가 있을 경우 최소위험인지에 대하여 정해진 규정이 없고, 사람마다 다른 기준을 가지고 있다는 점,[57] 위험이익평가를 시행하기 위하여 고안된 객관적이고 투명한 평가 도구가 없다는 점 및 사안에 따라 위험, 이익에 대한 판단이 어려운 연구들이 있다는 점 등을 고려할 때, 위험이익평가는 IRB의 연구 심의 중 가장 중요한 부분이면서, 어려운 부분이라는 점을 이해하여야 한다.

임상시험심사위원회는 연구대상자의 권리, 안전, 복지를 보장하기 위해, 임상연구가 시행되기 전 과학성과 윤리성을 심의하는 독립적인 기구이다.

임상시험관련 규제 개괄

사람을 대상으로 약물이나 의료기기의 효과와 안전성을 평가하기 위해 수행되는 임상연구는 만일 잘못 수행될 경우 사람에게 직접적인 위해를 가할 수 있기 때문에 적절한 관리가 필요하다. 특히 새롭게 개발된 신약이나 의료기기를 대상으로 하는 임상시험의 경우, 발생 가능한 위해가 연구대상자에게만 국한된 것이 아니라, 안전성과 유효성이 적절하게 검증되지 못한 채 시판 허가를 위한 자료로 활용될 경우 향후 국민건강 전체에 심각한 악영향을 초래할 가능성이 있기 때문에, 국가에서 적극적으로 개입하고 관리하고 있다. 식품의약품안전처(MFDS)는 국내에서 유통되는 식품과 건강기능식품을 비롯하여 의약품, 의료기기 등의 안전과 관련된 사무를 관장하는 정부 부처로, 임상시험과 관련해서는 신약과 의료기기 임상시험의 계획 승인 및 임상시험을 실시할 수 있는 기관의 지정, 기관의 실태조사 등을 통해 임상시험을 관리하고 있다. 이 장에서는 임상시험관련 국내 법령을 간략히 살펴보고, 임상시험을 위한 계획 승인 과정에 대하여 이해해 보고자 한다.

국가적인 차원에서 사람을 대상으로 한 연구에 대하여 관리하기 시작한 것은 1995년 의약품 임상시험 관리기준(KGCP)이 공표되면서부터이며, 임상시험에서의 의뢰자, 시험책임자 및 임상시험실시기관 등에 대한 책임을 규정하고, 이 기준에 따라 임상시험을 시행하도록 하였다. 이 당시까지만 해도 임상연구에 대한 규제는 새로 개발된 의약품이나 의료기기의 유효성과 안전성을 평가하기 위한 임상시험에만 국한되었다. 그런데 2012년 생명윤리 및 안전에 관한 법률이 제정되면서, 시대의 변화에 따라 새롭게 등장한 배아와 유전자연구 및 인체로부터 수집된 조직, 세포, 혈액, 체액 및 단백질을 다루는 인체유래물연구와, 신약을 개발하는 임상시험은 아니지만, 사람을 대상으로 중재의 효과와 안전성, 진단방법의 비교, 질병의 예후인자들을 탐색하는 등 다양한 인간대상 임상의학연구 및 개인의 경험이나 인식을 조사하기 위하여 시행되는 사회과학적 설문연구, 보건정책의 효과를 평가하는 정책연구 및 심리학에서 수행되는 인간행동을 관찰하는 연구들도 모두 인간대상연구의 범위 안에 포함시켜, 법률을 통해 관리하고 있다.[53] 또한 최근 개인정보가 유출되어 사회적 문제가 야기된 것을 계기로, 개인정보보호법이 제정되면서, 개인을 특정할 수 있는 인적 사항이나 신체적, 정신적 정보, 재산 정보, 사회 정보 및 전화 통화 내역이나 위치정보 등에 대하여 인간대상연구에서도 보호하는 장치를 마련해야 하며, 특히 어떠한 정보가 사용되는지, 그리고 해당 정보를 활용해도 되는지에 대한 동의를 받도록 정하고 있다. 이와 같이 사람을 대상으로 하는 연구에 대한 규제는 갈수록 강화되는 추세이므로, 임상연구를 수행하려고 계획하는 연구자의 경우 연구와 관련된 규정의 최신 내용에 대해 숙지해야 하는 어려움이 있다.

임상시험과 관련된 규정을 조금만 더 살펴보자. 국내의 법령은 헌법–법률–명령–고시 및 지침의 위계로 구성되어 있으며, 상위의 법령이 하위의 규정을 포괄하고, 하위의 규정은 이에 대한 상세한 내용을 담고 있다. 의약품 임상시험과 관련해서는 약사법이 가장 상위에 위치하고 있으며, 약사법에는 임상시험의 계획 승인에 관한 내용과 임상시험 실시기관의 지정과 취소, 임상시험 종사자에 대한 교육에 관련된 내용 등을 다루고 있다. 약사법은 가장 상위법이기 때문에, 위반 시의 벌칙도 상당하다. 임상시험 계획 승인을 받지 않고 임상시험을 진행하거나, 실시기관을 지정받지 않고 임상시험을 실시한 경우에는 3년 이하의 징역, 3천만 원 이하의 벌금형에 처하고, 임상시험관련 보험에 가입하지 않거나 안전성 및 임상시험에 관한 기록을 작성, 보관, 보고하지 않거나 거짓으로 보고하면 1년 이하 징역, 1천만 원 이하의 벌금에 처하도록 법은 규정하고 있다.

약사법에서 정한 임상시험에 대한 좀더 구체적인 내용은 '의약품 등의 안전에 관한 규칙'에 기술되어 있다. 의약품 등의 안전에 관한 규칙이 포괄적이고 원칙적인 내용을 담고 있다고 하면, 임상시험과 관련된 구체적인 내용 곧 임상시험의 계획, 실시, 모니터링, 점검, 자료의 기록 및 분석, 임상시험 결과보고서 작성 등 실제 임상시험실시와 관련된 기준과, 연구대상자의 권익보호 및 비밀보장을 위한 기본적인 원칙들, 임상시험실시기관의 의무 및, 임상시험심사위원회의 임무 및 구성과 운영, 임상시험의 시험자와 의뢰자의 역할과 의무 등을 규정하고 있는 것이 바로 의약품 등의 안전에 관한 규칙의 별표4로 제시된 '의약품 임상시험 관리기준(KGCP)'이다.[2] 현재 우리나라의 의약품 임상시험 관리기준은 임상시험을 위한 국제적인 가이드라인으로 통용되는 ICH GCP (The International Conference on Harmonization of technical requirements for registration of pharmaceuticals for human use guideline for Good Clinical Practice)와 조화를 통해 국제 기준에 부합하고 있다. 임상시험을 계획하고 시행하는 경우 이러한 국내 규정을 준수하여 시행되어야 한다.

마지막으로 임상시험계획의 승인에 대하여 언급하고자 한다. 사실 정부에서 법률을 통해 관리하고자 하는 대상은 의약품 또는 의료기기의 안전성과 유효성을 검토하는 임상시험에 초점이 맞추어져 있다고 보아도 과언이 아닐 것이다. 새롭게 개발된 의약품이나 의료기기는 시판 허가를 위해 임상시험을 통해 그의 안전성과 유효성을 입증할 수 있는 자료를 제출하여야 하므로, 이 단계에서 적절하게 관리하여 부적절한 제품이 시장으로 진입하는 것을 사전에 차단할 수 있다. 이는 위에서 언급된 탈리도마이드 사건에서 보여준 것처럼, 의약품의 시판을 허가하는 규제당국(국내에서는 식품의약품안전처)에서 제품의 안전성을 뒷받침하는 충분한 자료를 제출받지 못하는 경우에는 해당 제품의 출시를 허가하지 않는 방법을 통해 해당 제품으로 인하여 국민이 불필요한 위해에 노출되지 않도록 관리할 수 있는 체계가 온전히 작동해야지만 가능하다.[58] 이러한 측면에서 규제당국은 임상시험이 수행되기 이전에 그 계획서 및 연구대상자 보호를 위한 일련의 조치와 임상시험용의약품의 품질에 관련된 자료 등을 사전에 검토하고, 승인을 받은 경우에 한하여 임상시험을 시작하도록 규정하고 있다.[59]

'의약품 임상시험 계획 승인에 관한 규정'에 의하면, 임상시험은 약물의 약동학과 약력학 등 임상 약리를 평가하기 위해 정상인을 대상으로 수행되는 1상 임상시험과 소수의 환자에게 단기간에 걸쳐 수행되는 초기 임상시험과 용량–반응 관계를 탐색하기 위한 2상 임상시험, 유효성과 안전성 자료 확립을 위하여 수행되는 대규모, 치료적 확증 임상시험인 3상 임상시험 등에 대해 필수적으로 임상시험계획의 사전 승인이 필요하다고 명시하고 있다. 또한 계획 승인을 위한 절차 및 자료의 범위, 요건과 면제범위 등을 규정하여 임상시험에 참여하는 대상자의 안전을 보호하고, 더 나아가 해당 제품이 출시됨에 의하여 발생할지도 모르는 국민 보건에 대한 잠재적 위해를 예방하고자 하는 것을 목적으로 한다.[59] 임상시험계획의 승인을 얻기 위하여 제출해야 되는 자료는 매우 광범위하고, 굉장한 시간과 노력이 필요함은 물론, 해당 분야에 대한 전문적인 지식이 필요하기 때문에, 임상시험수탁기관(contract research organization, CRO *)에 의뢰하여 대행하기도 한다.[2]

국가는 국민의 건강과 안전을 보장하기 위한 수단 중 하나로 법, 제도와 규제기관을 통해 임상시험을 관리한다. 임상시험을 계획하거나 수행하는 사람들은 이러한 내용을 숙지하여야 한다.

---

* 임상시험수탁기관(CRO)이란 의뢰자(sponsor)와 계약을 맺고 임상시험의 일부 업무(연구계획의 수립, 임상시험계획의 식약처 승인이나 임상시험 모니터링 등)를 대행하는 기관을 의미한다.

SECTION

04
임상연구계획

어떤 형태의 연구를 수행한다고 하더라도, 그 시작은 연구계획서를 작성하는 것으로부터 시작한다고 말해도 과언은 아닐 것이다. 임상연구의 경우도 예외는 아니다. 동물이나 세포를 대상으로 연구를 시행하는 경우에도 연구계획을 체계적으로 잘 수립하는 것이 요구되지만, 인간대상연구에서는 특히 임상연구계획서 안에 연구와 관련된 다양한 요소들을 적절하게 담아내는 것이 연구를 수행하는 과정에서의 오류를 줄일 수 있고, 임상연구 결과의 신뢰성을 높이는데 도움이 된다. 또한 요즘과 같이 연구대상자의 보호 및 연구의 투명성이 요구되는 시대에, 임상시험심사위원회의 검토를 받거나 임상연구의 결과를 논문으로 출간할 때 첨부자료로써 계획서가 공개되는 일이 많으므로, 필수적인 요소들을 빠뜨리지 않으면서, 참고문헌을 적절히 인용하고, 논리적으로 계획서를 집필하는 것은 매우 중요하게 인식되고 있다. 연구자 뿐만 아니라, 임상연구 결과가 담긴 논문을 읽는 입장도, 임상연구가 어떻게 진행되었는지, 건강결과에 대한 평가는 어떻게 시행되었는지와 같이 연구와 관련된 세부적인 요소를 점검하는 차원에서 임상연구계획서를 읽어볼 수 있는 기회가 있다. 이 장에서는 임상연구계획서 안에 어떠한 내용들을 다루어야 하는지 살펴보고, 연구계획서 작성 시 참고할 수 있는 SPIRIT 2013 성명서에 대하여 간략하게 다룬다.

임상연구설계

앞에서 언급한 대로 임상연구는 사람을 대상으로 시행되기 때문에, 대상자의 권리, 안전, 복지를 보장하기 위하여 고려되어야 필수 요소들이 존재한다. 임상연구의 윤리부분에서 살펴보았듯이, 대상자들에게 가해지는 위해는 최소화되어야 하며, 대상자의 자유로운 참여와 연구의 중지가 보장되어야 한다. 이런 관점에서 연구목적으로 제공되는 중재는 대상자에게 어떤 형태로라도 이득이 제공되어야 하며, 침습적인 검사나 평가는 최소위험을 상회할 수 없게 설계되어야 한다. 불필요하게 연구에 의한 위해가 발생하지 않도록, 효과를 검증할 수 있을 정도의 적절한 대상자 수를 계산하여 모집해야 한다. 또한 대상자의 안전을 보호하는 장치와 혹시 모를 위험에 대한 대비책(임상시험 보험 등)도 마련해야 한다. 또한 연구 참여에 따른 이익과 위해를 정확히 전달하고, 연구 참여를 자율적으로 참여할 수 있도록 정보를 담은 대상자 설명서와 동의서 등도 연구의 설계 단계에서 작성 및 검토해야 한다.[60]

인간대상연구의 또 다른 특징 중 하나는 비용이 많이 든다는 점이다. 물론 소수의 대상자를 모집하여 단기간에 끝나는 연구들도 있지만, 일반적으로 중재를 투여하는 기간도 길고, 중재의 효과가 발현되고 소실되기까지 오랜 기간이 소요되며, 비교적 장기간 동안 연구대상자를 관찰해야 한다. 대상자를 모집하기 위해 광고를 해야하고, 연구에 참여하는 경우 교통비를 제공하여야 한다. 임상시험은 특히 연구가 적절하게 수행되고 있는지 품질 관리가 필요하며, 이를 위하여 모니터링 등을 실시하기도 하는데, 이 또한 비용을 발생시킨다. 비용적 측면에서 가장 중요한 요인으로는 대상자의 모집이 얼마나 빨리 진행될 지, 얼마나 많은 수의 대상자가 탈락할 지에 대해서 사전의 예측이 어렵다는 점이다. 연구가 지연될수록 그에 따른 비용은 급격하게 증가한다. 이러한 측면에서 임상연구를 설계하는 경우에는 대상자의 위해를 포함한 윤리적인 측면과 비뚤림을 차단할 수 있는 과학적인 측면, 그리고 정해진 기간과 비용 안에서 수행이 가능한지 등 연구 외적인 측면을 모두 고려하여야 한다.

요 약

사람을 대상으로 하는 임상연구를 설계할 때에는 윤리적인 측면, 과학적인 측면, 비용적인 측면 등 고려할 요인이 많음을 기억해야 한다.

임상시험계획서와 SPIRIT 2013 성명서

임상시험계획서에는 빠져서는 안 될 필수 항목들이 존재한다. 이러한 항목들을 적절히 배치하면서, 과학적으로 구성될 수 있도록 규제기관에서는 구체적인 규정을 두고 작성하도록 관리하고 있다. 국내에서는 의약품임상시험계획의 승인을 위한 임상시험계획서를 작성하는 경우 포함되어야 할 항목을 다음과 같이 구체적으로 '의약품 등의 안전에 관한 규칙'에 명시하고 있으며, 해당 요소에 대하여 충분히 기술되어 있지 않은 경우 계획 승인을 위한 심사단계를 통과할 수 없다(표 2-4-1).[61]

표 2-4-1. '의약품 등의 안전에 관한 규칙'에 규정되어 있는 임상시험계획서에 포함되는 항목[61]

- 시험의 제목, 단계, 계획서 식별번호 및 재개정 이력 등
- 시험계획서 요약
- 서론(배경, 이론적 근거, 유익성 및 위험성 평가, 용량 설정 근거 등)
- 시험의 목적
- 시험모집단
- 시험 설계 내용, 시험 종료 및 조기중단 기준
- 임상시험용의약품의 정보 및 관리
- 시험의 방법 및 투약계획 등
- 시험 절차 및 평가
- 자료 분석 및 통계학적 고려사항
- 자료 관리
- 윤리적 고려사항 및 행정적 절차
- 임상시험을 하려는 자의 정보, 시험책임자 성명 및 직책
- 그 밖에 임상시험을 안전하게 과학적으로 실시하기 위하여 필요한 사항

임상연구계획서는 연구 시작 전에는 해당 연구의 윤리성과 과학성을 검토하는 기본 문서로써 활용되고, 연구 진행과정 중에는 중재의 제공 및 평가의 일관성을 유지할 수 있는 기준으로 사용되며, 연구 종료 후에는 명시된 분석 원칙에 의거하여 연구자의 개입으로 인한 잘못된 분석을 막는 기준으로 활용된다. 그런데 상당수의 임상연구계획서에서 평가변수의 정보나 눈가림 방법 및 이상반응의 보고방법, 데이터 분석 계획 등에 대한 내용이 적절히 기록되어 있지 않다고 알려져 있으며, 계획서의 불충분한 기술이나 오류로 인해 임상시험계획서가 빈번히 수정되거나 연구 수행에서의 문제가 발생하기도 하며, 계획서에 의거하여 연구결과를 온전히 보고하지 않는 점 등이 지적되고 있다.[62]

이러한 문제를 해결하기 위한 방법으로 제안된 것이 SPIRIT (Standard Protocol Items: Recommendations for Interventional Trials) 2013 성명서이다. SPIRIT 2013 성명서는 중재에 대한 임상시험계획서 내에 최소한 기술되어야 하는 요소들의 항목과 어떻게 기술하는 것이 적절한지에 대한 설명과 예시를 제공하는 지침으로 임상연구의 계획서를 작성할 때 참고할

수 있다. SPIRIT 2013 성명서는 임상시험의 국제기준인 의약품규제조화위원회 가이드라인 중 임상시험관리기준에 대한 가이드라인(ICH GCP, International Council of Harmonization Guideline 'Integrated Addendum to ICH E6 (R1): Guideline for Good Clinical Practice, E6 (R2))에서 언급하는 계획서 항목에 더하여 연구의 신뢰성을 보장하기 위하여 필수적인 배정은닉방법이나 임상시험의 등록 방법 등에 대한 내용들도 포함하고 있어, 기존 기준을 한 단계 더 발전시켰다고 평가된다.[62]

연구계획서가 SPIRIT 2013 성명서에서 제시한 항목들을 어떻게 반영하고 있는지 실제 출간된 연구의 임상시험계획서의 사례를 통해 표 2-4-2에서 간략하게 살펴보자.

표 2-4-2. SPIRIT 2013 성명서의 점검표(checklist)상 개별 항목과 실제 임상시험계획서 사례

SPIRIT 2013 성명서의 개별 항목[62]	예시 연구 임상시험계획서의 내용 *[63]
관리정보	
제목	'중증도와 중증의 혼합성 요실금 여성'에 대하여 전기침 치료와 골반기저근 훈련/솔리페나신 병용투여의 효과 비교(임상시험)
연구등록	없음
계획서 버전	최초 계획서 일자: 2012년 11월 5일 수정 일자: 2014년 2월 27일
지원	중국 과학기술부의 제 12차 5개년 계획 중 국립과학기술기간프로그램 (2012BAI24B01; 2012BAI24B02)의 재정적 지원을 받음

---

* 예시연구는 2019년 Liu 등이 Mayo Clinic Proceedings에 출간한 "Electroacupuncture versus pelvic floor muscle training plus solifenacin for women with mixed urinary incontinence: a randomized noninferiority trial" 논문에서 첨부파일로 제공된 연구계획서 내용이다. 최근에는 학술지에서 연구 내용에 대한 폭넓은 정보를 제공할 목적으로 논문 출간 시 연구계획서를 부록으로 공개하도록 권유하기도 한다.

역할 및 책임	연구 과제 책임자: Baoyan Liu 임상 연구 책임자: Zhishun Liu 등(이하 생략)
서론	
연구 배경 및 근거	혼합성 요실금의 정의, 혼합성 요실금의 기존 치료인 약물치료(솔리페나신)나 행동치료의 근거, 해당 질환에 대한 전기침 치료의 임상적 유효성 요약
연구 목적	중등도와 중증의 혼합성 요실금 여성에 대하여 전기침치료와 골반기저근 훈련/솔리페나신 병용투여의 유효성과 안전성을 평가, 전기침이 요실금 에피소드의 빈도를 감소시키는데 골반기저근 훈련/솔리페나신 병용투여와 비교했을 때 열등하지 않다는 것이 연구 가설
연구 설계	해당 연구는 중국 내 10개의 센터에서 수행되는 평행설계 임상시험으로 전기침치료군과 골반기저근 훈련/솔리페나신 병용투여군으로 1:1 배정함.
방법 – 참여자, 중재 및 결과	
연구 환경	중국 내 10개 센터, 구체적인 기관은 명시하지 않음
적임기준	[선정기준] - 35세에서 75세의 혼합성 요실금 진단기준에 해당하는 여성으로 요실금 중증도 지수가 3점 이상의 중등도 혹은 중증의 환자이며, 강제성 기침 검사상 양성이며, 최소 3개월 이상 요실금으로 고생하고 있고, 동의서에 자발적으로 서명하고 참여하는 사람
적임기준	[제외기준] - 순수한 긴장성 요실금이나 급박성 요실금, 신경인성 방광이 있는 사람 - 요실금이나 방광의 기능에 영향을 주는 약물 치료나 비약물 치료를 지난 달에 시행한 사람 - 유증상성 요로감염이나 요실금에 대한 수술의 과거력이 있는 경우 - 배뇨 후 잔뇨가 30 mL 이상 남아 있는 경우 - 솔리페나신에 알러지가 있는 경우 - 하부요로의 기능에 영향을 주는 질병에 이환된 경우 - 심각한 심혈관계, 폐, 뇌 및 장기의 질환이 있는 사람 - 신장기능에 심각한 이상이 있는 사람 - 계단을 오르내리는데 장애가 있는 사람 - 임산부, 수유부, 출산 후 12개월 이내의 사람 - 심박조율기를 부착한 사람 - 다른 연구에 참여중인 사람 [침시술자의 자격] - 최소 2년 이상의 경력이 있는 면허를 가진 침구 의사 [운동치료를 지도하는 사람의 자격] - 경력이 있는 물리치료사로부터 훈련을 받은 연구담당자

중재	[전기침군] 침은 중료(BL33)-회양(BL35)에 30-45도의 각도, 50-60 mm의 깊이로 자입한 후 득기가 유도될 정도로 염전 자극을 시행함. 이후 10/50 Hz, 0.1-5.0 mA의 전류를 흘려 30분간 자극함. 치료는 주 3회 최대 36회까지 제공함. [골반기저근 훈련/솔리페나신 병용투여군] ① 36주간 골반기저근 훈련과 약물치료를 시행함. 골반기저근 훈련은 병원에서 연구자의 지도 하에 12주 동안은 주1회, 13-36주까지는 4주에 1회 실시함. 최초 골반기저근 훈련 시 대상자들은 골반기저근육을 최대한 8초간 수축하고 8초간 이완하도록 하고 나서 1-2초 동안 빠르게 4번 근육을 수축하도록 연습함. 이러한 훈련은 앙와위, 좌위, 기립자세에서 각각 최소 12회동안 반복하도록 함. 집에서는 하루 3번 12회의 수축을 시행하도록 하며, 대상자들은 자가 훈련을 위한 DVD를 교부받음. ② 솔리페나신 5 mg (Astellas Pharma Europe B.V.)을 1-36주 사이에 식전 혹은 식후에 복용. [병용금지치료] - 연구에 참여하는 기간 동안 다른 형태의 요실금 치료는 금함.
결과	이 연구의 1차 유효성 평가변수는 매주 기록하는 방광 일기에 근거하여 1주에서 12주 사이의 72시간 요실금 에피소드 빈도의 퍼센트 변화량임(이하 생략).
참여자 연대표	표 2-4-3 참조
표본 크기	비열등성 가설을 만족시키기 위해 전침 치료군의 퍼센트 변화량의 95% 신뢰구간 상한선이 병용투여군과 비교했을 때 15% 미만에 위치해야 하고 표준편차가 47%라고 가정하고, 90%의 파워, 단측의 알파(alpha)값이 0.025, 20%의 탈락율을 고려하여 치료군과 대조군이 1:1 비율로 배정될 경우 각 군에 500명의 대상자가 배정되어야 한다고 추정함.
모집	연구대상자는 원내 포스터나 신문광고, 웹사이트 등을 이용하여 모집하였음.
방법 - 중재 배정(대조군이 있는 연구의 경우)	
할당 순서 생성	CACMS의 임상평가센터 연구자가 SAS 9.3의 proc plan 프로그램을 이용하여 무작위번호를 생성함.
배정은닉 방법	중앙무작위배정시스템을 이용함…(중략). 전화나 인터넷을 이용하여 대상자의 성별과 연령을 중앙무작위배정시스템을 통해 입력하면 대상자의 무작위배정번호를 부여받음.
적용	CACMS의 임상평가센터 연구자가 무작위번호를 생성하고, 각 센터의 임상시험 보조원이 대상자의 배정번호를 부여받음.
눈가림	결과평가자, 데이터 관리자, 통계학자는 대상자에 대하여 눈가림이 적용됨.

방법 – 데이터의 수집, 관리, 분석	
데이터 수집 방법	1차 평가변수는 연구대상자로부터 수집된 주간 방광 일기에 근거하여 1주–12주 사이의 72시간 요실금 에피소드 빈도의 기저치로부터 변화된 정도의 백분율임. 이차평가변수는… (숭략). 내상자의 방광일기자료는 두 번 입력될 것임. (이하 생략)
데이터의 관리	원격데이터수집(RDC) 시스템을 이용하여 자료를 입력할 것임. 연구 보조원은 RDC 시스템을 통해서 전자증례기록서를 작성할 것임. 연구자가 입력된 전자증례기록서를 검토하고 전자서명을 한 후에야 해당 자료가 유효하게 됨. 전자증례기록서의 수정 이력은 오라클 데이터베이스에 남겨지게 됨…(중략). 연구자는 데이터 검증 계획(data verification plan)에 따라서 자료를 검증함. 의심이 가는 데이터에 대해서는 쿼리(query)가 발생되며, 해당 쿼리는 자료를 입력한 기관으로 보내져서 자료를 확인하게 됨. 수정이 발생되게 되면 RDC 시스템에 기록이 남게 됨(이하 생략).
통계방법	일차 평가변수는 평균과 표준편차(혹은 자료가 편향되어 있을 경우 중위수와 사분위간 범위)로 요약되며, 군간의 통계분석은 t검정 방법으로 진행됨…(중략). 일차평가결과는 PP분석을 통해 분석됨(이하 생략).
방법 – 모니터링	
데이터 모니터링	없음
위해	안전성 평가를 위해 모든 종류의 이상반응은 대상자 보고와 침 치료자를 통해 연구 진행 과정에서 수집됨. 이 연구에서 심각한 이상반응은 입원치료를 요하거나 장애를 초래하며, 업무 능력에 제한이 발생하거나 생명을 위협하며 사망을 초래하는 경우로 정의함. 이상반응은 잠재적인 침치료와의 관련성에 의거하여 대상이 되는 연구 중재의 시술과 관련된 경우와 무관한 경우로 분류함(이하 생략).
점검	없음
윤리 및 보급	
연구 윤리 승인	연구에 참여하는 각 사이트에서 IRB에 의해 연구계획서가 승인된 이후에 대상자의 모집을 시작할 것이지만 모든 기관에서는 2014년 3월 1일 이후에는 반드시 시작해야 함.
계획서 수정	최초 연구계획서 작성 일자: 2012년 11월 5일 수정 일자: 2014년 2월 27일
동의 혹은 승인	별첨된 동의서와 설명서
기밀유지	없음
이해관계 보고	없음
데이터 접근성	없음

부수적 및 연구 후 관리	없음
보급 정책	없음
부록	
사전 동의 문건	별첨된 동의서와 설명서
생체 표본	없음

IRB: Institutional Review Board; PP 분석: Per Protocol 분석; RDC: Remote Data Capture; CACMS: China Academy of China Medical Sciences

임상연구계획서의 제목은 해당 연구의 내용을 쉽게 파악할 수 있도록 연구 설계를 포함하여 질환 및 평가의 대상이 되는 중재 등의 내용을 담고 있어야 한다. 예시 연구에서는 '중등도와 중증의 혼합형 요실금 여성'이라는 연구 대상과 서로 비교되는 중재인 전기침치료와 '골반기저근 훈련/솔리페나신 병용투여'를 명시하여 해당 연구가 어떤 내용인지 확인할 수 있게 기술되어 있다.

다음으로 연구등록에 관한 정보가 연구계획서 안에 들어있어야 한다. 연구등록은 임상시험이 시행되기 전, 임상연구와 관련된 정보 중 연구설계 및 개요, 평가변수 등에 관련된 내용을 공공의 플랫폼에 연구자가 등록하게 하는 것으로, 나중에 연구가 종료된 이후 선택적 결과보고를 방지하여 모든 결과가 발표될 수 있도록 하며, 연구대상자에게는 어떤 중재에 대한 연구가 어디서 시행되는지에 대한 정보를 공유할 목적으로도 활용된다.[64] 미국을 비롯하여(ClinicalTrials.gov), 세계 각국에서는 연구등록 레지스트리를 운영하고 있으며, 국내에서는 질병관리본부에서 구축, 운영하고 있다(cris.nih.go.kr).[65] 일반적으로 연구 등록은 연구계획서가 완성되고, 기관의 IRB 심의 후 허가를 얻은 뒤, 임상시험 시작 전에 등록한다. 하지만 SPIRIT 2013 성명서에서는 등록 전일 경우 등록 예정인 등록처의 이름을 기록하도록 권유하고 있다. 이미 등록되어 있을 경우 등록처 및 등록 후 부여 받는 식별번호를 기입한다.

연구계획서의 버전(version)은 연구계획서가 작성되고, 변경될 때 부여하는 연구계획서의 일련번호로 표시하거나 변경이 발생할 때의 일자 등을 이용하여 표시한다. 버전이 필요한 이유는 연구자와 연구계획을 심사하는 IRB의 위원들이 계획서의 수정이력 등을 쉽게 추적할 수 있게 하기 위함이다. 계획서의 버전 관리를 못하면, 연구관련 문서들 사이에 서로 일치하지 않는 부분이 발생할 수 있으므로, 혼동을 피하기 위해 필수적으로 관리해야 한다.

연구의 지원에 관련된 문제는 이해 상충과 관련되어 중요하다. 임상연구의 의뢰자 및 자금지원처, 물적, 인적 지원에 관련된 내용은 연구계획서 안에 자세히 기술되어야 한다. 이를 바탕으로 IRB에서는 혹시 개입될 수 있는 이해상충 문제에 대해 평가할 수 있다.

역할 및 책임의 항목에서는 해당 임상연구를 계획하고, 관리하며, 수행할 각 주체들 및 연구 의뢰자(자금 지원)의 역할과 책임에 대해서 기술한다. 최근에는 임상연구의 품질보장을 위하여 연구 진행을 모니터링하거나, 이상반응 및 안전성을 평가하는 제3의 주체가 연구에 참여하는 것이 권장되고 있어서, 이들에 대한 정보도 기술한다.

임상연구계획서의 서론 부분은 일반적인 논문의 서론 부분과 동일하게 해당 연구의 배경이 되는 지식과 연구 목적 등에 대해서 개괄적으로 기술한다. SPIRIT 2013 성명서에서는 서론을 3개 파트 곧 연구 배경, 목적, 설계로 나누어 기술하도록 권장하고 있다. 먼저 연구 배경 및 근거 부분에서는 연구 질문이 무엇인지, 그리고 해당 연구의 위험과 이득을 평가할 수 있는 기존 연구(전임상연구*) 내용을 기술하도록 설명하고 있다. 벨몬트 보고서의 선행의 원칙 곧 대상자에게 위해를 가하지 말아야 한다는 점은 이전 실험연구나 기존 유사 임상연구를 통해 중재의 안전성과 잠재적인 유효성이 충분히 소명될 때 판단이 가능하다. 따라서 해당 중재(약물, 의료기기)가 세포나 동물실험을 통해 어떤 기전으로 효과를 발휘하는지, 용량은 어떠한 근거에 의해서 결정되었는지, 독성시험 결과 안전성이 보장되는지에 대한 근

---

* 해당 중재의 기전, 안전성 등을 뒷받침하는 동물, 세포 실험을 의미한다.

거를 이 부분에 기술하여야 한다. 만일 선행연구 결과들이 이미 출간되어 있는 경우에는 참고문헌을 인용하여 유효성과 안전성에 대한 근거의 신뢰성을 높여야 한다. 임상연구에서 연구질문은 일반적으로 PICO의 형식으로 설정한다. PICO는 대상 질환이나 환자군(population), 중재(intervention), 대조군(comparator), 건강결과(outcome)에 해당하는 각 영문 단어의 첫 글자를 조합한 약어로서, 해당 임상연구를 통해 해결하고자 하는 문제를 좀 더 명료하게 파악하기 위해 연구의 계획 단계에서 설정된다. PICO에 의거하여 선정제외기준, 평가하고자 하는 중재와 대조군 중재의 정의 및 어떤 건강결과를 언제 평가할 것인지에 대한 구체적인 내용이 결정될 수 있기 때문에, 주의를 기울여 PICO를 기술하는 것이 필요하다. PICO가 결정되면 해당 임상연구에서 답을 얻고자 하는 연구의 가설을 설정할 수 있다. 또한 연구 목적 등에 대해서 개괄적으로 기술한다. SPIRIT 2013 성명서에서는 연구 설계에 대한 내용을 포함하도록 권고하고 있으며, 연구 유형이나 임상시험의 단계(1상 혹은 2상 등), 대상자의 배정 비율(시험군과 대조군의 비율 1:1 배정, 2:1 배정 등) 등과 같은 정보가 서론에 포함되어야 한다.

임상연구계획서에 가장 중요한 부분은 연구방법을 기술한 부분이다. SPIRIT 2013 성명서에서는 연구방법에 해당하는 부분을 크게 4파트로 기술하고 있으며, 참여자, 중재 및 결과/중재의 배정(무작위대조군연구의 경우)/데이터의 수집 및 관리, 분석/연구의 질관리(모니터링) 등이 포함된다.

먼저 연구방법 중 연구대상자, 중재, 결과를 다룬 부분을 살펴보도록 하자.

첫 번째 항목은 연구 환경에 대한 내용이다. 임상연구는 사람을 대상으로 시행하고 있으므로, 지역이나 국가, 연구 기관의 특성에 따라서 해당 연구결과가 영향을 받을 수 있다. 연구 환경에 대해 구체적으로 기술해 주는 것이 필요한 이유는 연구가 종료된 이후에 발표될 연구결과가 해당 결과를 이용하는 임상의나 다른 연구자 혹은 정부기관이 각자 자신들의 입장에서 실제 임상에 적용 가능한지 판단할 수 있는 기초적인 기준이 되기 때문이다.

　그 다음으로 적임기준(eligibility criteria)에 대해서 기술하도록 권고하고 있다. 적임기준이란 해당 연구의 대상자로 어떠한 사람들을 모집할 것인지에 대한 내용과, 연구를 위하여 중재를 시행하는 사람의 자격이나 기술적인 숙련도 등에 대해서 규정하는 것이다. 어떠한 대상자를 선정하거나 배제할지를 결정하는 것은 연구질문에 답하기 위하여 필수적인 부분이며, 모호하거나 불확실한 선정제외기준이 설정되는 경우 해당 연구결과의 내적인 타당도에 심각한 영향을 초래할 수 있다. 중재를 시행하는 임상의나 치료자의 자격이나 임상경력, 숙련도 등은 약물을 이용한 임상연구에서는 크게 문제가 되지 않을 수 있지만, 내시경 진단이나 외과수술, 침치료와 같이 비약물 중재들을 시행할 때는 성패를 좌우하는 중요한 요인이 될 수 있다. 따라서 어느 정도 숙련된 연구자들이 참여하는지 규정하는 것은 연구가 적절하게 수행되었는지 판단하는 기준이 됨과 동시에 향후 결과를 이용할 사람들이 고려해야 할 중요한 요소이다.

　그 다음으로 중재에 대해서 다루고 있다. 중재는 SPIRIT 2013 성명서 내의 다른 항목에 비해 가장 많은 항목(4개)을 할당하고 있을 정도로, 상대적으로 중요하게 다뤄지고 있다. 중재에 대하여 자세히 기술하는 이유는 연구자의 입장에서는 연구 진행 과정 중 가급적 동일한 중재가 대상자에게 제공될 수 있도록 하기 위함이고, 다른 연구자들에게는 해당 연구의 시술을 재현 가능하도록 하기 위함이며, 연구결과를 이용할 개별 임상의들에게는 연구에서의 중재가 어떻게 사용되었는지 파악하여, 자신의 임상에 활용할 수 있도록 충분한 정보를 제공하는 것이다. 각 군의 중재가 어떻게 구성되는지, 언제 어떻게 시행되는지와 같이 중재에 대한 구체적인 내용을 자세히 설명해야 하는 것은 기본이며, 어떤 문제 상황에서 중재가 중지되어야 하는지, 또한 중재가 충실하게 적용되게 하기 위하여 어떠한 예비적 조치를 마련하였으며, 계획된 중재를 적절하게 시행하고 있는지 모니터링 할 수 있는 검사(약물 농도를 검사하기 위한 혈액검사)나 평가절차, 연구 과정 중 허용하는 치료나 절대 금지하는(위반 시 탈락) 약물이나 치료 등도 구체적으로 기술하도록 권고하고 있다.

중재의 다음으로는 어떠한 건강결과를 언제, 어떻게 평가하는지에 대한 내용을 언급하고 있다. 이 부분에서는 유효성과 안전성을 평가하기 위한 건강결과의 측정 방법과 결과의 의미를 해석하는 방법 및 기준치 등에 대한 정보를 충분히 기술하도록 권고하고 있다. 이 부분도 중재와 관련된 부분과 동일하게 임상질문을 구성하는 핵심적인 요소이기 때문에 기존 연구나 문헌에 근거하여, 해당 질환에서 필수적으로 평가해야 하는 건강결과들이 빠짐없이 평가될 수 있도록 공들여 기술해야 한다.

다음으로 참여자 연대표에 대해서 언급한다. 연대표는 대상자가 연구에 참여한 이후 매번 방문별 시점에 따라 시행되는 행위들 곧 연구의 등록, 대상자 스크리닝, 동의의 취득, 무작위배정, 중재의 시행, 건강결과별 평가 등을 연구 종료 시까지 한눈에 파악할 수 있도록 연구계획서 내에 포함되어 있는 그림이나 도표를 의미한다. 연대표는 연구자가 연구를 진행하는 동안 절차에 맞게 중재를 적용하거나 평가를 시행하도록 가이드해주는 역할을 하며, 계획서를 작성하는 동안에는 연구계획서와 증례기록지(case report form, CRF) 등의 내용이 일치되게 작성될 수 있도록 참고할 수 있는 시간표로써 활용된다(표 2-4-3).

표 2-4-3. 연구대상자 연대표 예시(Liu 등의 연구계획서 중[63])

방문	모집	배정	중재						추적관찰					
			1	2	3	4	5	6	7	8	9	10	11	12
사전 동의	O													
스크리닝	O													
인구학적 조사, 과거력 조사	O													
기준선 소변검사, 유속검사, 잔뇨검사	O													
무작위배정		O												

방문	모집	배정	중재 1	2	3	4	5	6	추적관찰 7	8	9	10	11	12
중재-전기침			O	O	O	O	O	O						
중재-대조군			O	O	O	O	O	O	O	O	O	O	O	O
평가														
72시간 요실금 에피소드 빈도	O		O	O	O	O	O	O	O	O	O	O	O	O
72시간 급박뇨 에피소드	O		O	O	O	O	O	O	O	O	O	O	O	O
72시간 배뇨 횟수	O		O	O	O	O	O	O	O	O	O	O	O	O
72시간 야간뇨	O		O	O	O	O	O	O	O	O	O	O	O	O
복압성 요실금의 중증도	O		O	O	O	O	O	O	O	O	O	O	O	O
기저귀의 사용량	O		O	O	O	O	O	O	O	O	O	O	O	O
ICIQ-SF 점수	O			O		O		O		O	O	O	O	O
1시간 요누출 양	O			O		O		O						
만족도 조사	O			O		O		O						O
환자의 호전도 평가								O						O
이상반응			O	O	O	O	O	O	O	O	O	O	O	O

ICIQ-SF: International Consultation on Incontinence Questionnaire-Short Form
O: 연구 진행과정 중 해당 방문에 시행

연구대상자 수(표본 크기)는 기존의 연구를 바탕으로 혹은 연구자가 생각하는 유의한 군 간의 차이값 등을 이용하여 계산한, 최소한의 연구대상자 수를 의미한다. 임상연구계획서에 서는 대상자의 수를 계산하기 위해 필요한 유의수준, 검정력 및 1차 평가변수의 예측되는 군간 차이값, 표준편차 등, 대상자 수 산출에 필요한 근거를 제시하여야 한다. 그 다음으로 대상자 모집 전략, 곧 어디에서 어떻게 대상자 모집에 대하여 홍보할 것인지(원내광고물 게시 등) 등을 기술한다. 만일 취약한 환경에 있는 피험자들(vulnerable subjects)이 모집될 경우 대상자의 권익을 어떻게 보호할 것인지 등에 대한 방안도 제시되어야 한다.

대조군이 있는 연구에서는 연구대상자의 무작위배정이 중요한데, 다음으로 이 과정에 대하여 다루고 있다. 무작위배정순서의 생성은, 치료군과 대조군으로 대상자를 배정할 때 그 순서가 연구대상자나 연구자 모두에게 눈가림 될 수 있도록 대상자의 배정순서를 발생하는 것을 의미한다. 여러가지 방법이 있으나 컴퓨터를 이용하여 난수를 발생시키는 방법 곧 예를 들어 설명하면, 통계프로그램 등을 이용해서 난수를 발생시키고, 홀수가 나오면 치료군에, 짝수가 나오면 대조군에 배정하게 하고, 홀수와 짝수가 나오는 규칙을 1:1로 정하여 프로그램해서 대상자의 수만큼 난수를 발생시키는 것을 생각하면 이해가 쉽다. 그 후에 발생된 난수를 순서대로 정렬한 후 규칙에 따라 각각의 난수를 치료군, 대조군으로 표시하고, 순서를 배열한 목록을 만들면 무작위배정순서의 생성이 완료된다.

배정은닉은 배정이 시행되기 전 생성된 무작위배정순서의 목록이 연구대상자와 연구자 모두에게 노출되지 않도록 감추는 방법을 의미한다. 속에 들어있는 내용물이 보이지 않는 (opaque) 봉투에 일련번호를 표기하고, 번호에 맞게 생성된 배정 순서에 따라 치료군 혹은 대조군이라고 적힌 쪽지를 넣고, 봉투를 봉인하고, 대상자를 배정할 때 순서대로 봉투를 개봉하여 배정하는 방법이 과거에는 흔히 사용되었으며, 예시의 사례(표 2-4-2)처럼 제3의 장소 혹은 서버에 목록을 보관하고, 전화나 컴퓨터를 이용하여 배정이 필요할 때 연락하는 중앙배정법도 활용되고 있다.

중재를 다루는 항목 중 적용이라는 부분은 무작위배정과 관련된 업무(번호의 생성, 배정은닉을 시행하는 사람, 무작위배정을 시행하는 사람 등)를 누가 담당하는지에 대해 기술하는 것을 의미한다. 눈가림에 대한 항목은 실제 연구에서 무작위배정된 결과를 알지 못하게 하는 대상이 누구인지 등에 대하여 기술하는 것이다. 예를 들어 위약을 사용하는 약물연구로, 이미 제3자에 의해 무작위배정순서가 생성되고, 그 순서에 따라 약물과 위약을 포장하였으며, 포장지에는 연구에 참여한 대상자의 일련번호만 기재된 채 연구자에게 전달되고, 참여 순서에 따라 해당 번호의 약물 혹은 위약을 교부하였다면, 실제 무작위순서를 생성한 사람과 약을 포장한 사람 외에 연구대상자와 연구자 모두 눈가림이 가능해진다. SPIRIT 2013 성명서에서는 누가 눈가림 되는지에 대해서 기술하는 것 외에도, 심각한 부작용이 발생한 경우처럼 눈가림이 해제되어야 하는 구체적인 상황이나 조건도 기술하도록 하고 있다.

다음으로 다루는 내용은 연구에서 얻어지는 자료를 수집, 관리 및 통계분석하는 방법이다. 임상연구를 시행하는 것은 결국 특정한 중재를 일정기간 투여하고, 건강결과 상 어떤 변화가 발생하였는지 자료를 모으고 분석하기 위함이라고 생각해 볼 수 있다. 따라서 연구대상자의 무작위배정과 중재의 시술 등이 잘 이루어졌다고 하더라도, 자료를 평가하고 수집하는 과정에서 연구자가 의도적으로 혹은 의도하지 않게 잘못을 범할 경우, 해당 자료의 비뚤림이 발생할 수 있다. 또한 자료의 수집까지는 엄밀하게 잘 되었다고 할지라도, 분석하는 사람의 의도가 개입되어 처음 정한 원칙대로 분석하지 않고, 유리한 결과를 도출하기 위해 조작한다면 분석 결과를 신뢰할 수 없을 것이다. 연구를 통해 수집된 자료가 투명하게 수집되고 분석되기 위하여, SPIRIT 2013 성명서에서는 자료의 수집과 관리, 통계분석에 관련된 내용을 임상연구계획서에 정확하고 분명하게 기술하도록 권고하고 있다.

이들 중 첫 번째는 연구 도중 데이터(건강결과)를 어떻게 수집할 것인지 기술하도록 안내하고 있다. 임상연구 과정에서 수집되는 모든 연구결과와 자료 수집 시점, 구체적으로 어떻게 건강결과에 대하여 평가할 것인지는 연구자료의 신뢰성을 확보하는데 중요한 부분이므로 계획서에 구체적으로 명시해야 한다. 이 외에도 평가자를 훈련하는 방법이나 해당 평가도구가 연구목적을 달성하기 위해 적절한 도구가 맞는지 확인할 수 있는 자료인 도구의 타당성과 신뢰도를 다룬 참고문헌 등을 계획서 내에 기술하도록 권고하고 있다. 또한 연구 도중 대상자의 이탈을 방지할 장치도 기술하도록 하여, 자료의 완결성을 높이는 방안을 제시하도록 권고하고 있다.

그 다음으로는 수집된 자료의 관리에 관한 항목이다. 임상연구 결과 얻어진 최초의 자료는 근거문서*와 증례기록서의 형태로 존재한다. 이 자료를 분석에 활용하기 위해서는 통계프로그램이 인식할 수 있는 형태의 자료로 변환해야 하며 이 과정을 코딩(coding)이라고 지칭한다. 데이터의 입력과 코딩방법 및 연구자료를 어떻게 보관할 것인지 등에 대해서 이 부분에서 기술하도록 하고 있다. 특히 자료 입력 과정 중 발생할 수 있는 오류를 줄이기 위하여, 이중으로 코딩을 하여 일치여부를 평가하거나 평균에서 벗어난 이상수치를 확인하기 위하여 수집되는 결과값의 범위를 지정해 주는 것 등 자료의 정확도(accuracy)를 높이기 위한 방안도 이 부분에서 언급하도록 하고 있다.

마지막으로 통계분석방법에 대한 항목도 계획서 내의 필수 항목으로 제시하도록 설명하고 있다. 임상연구에서 가장 중요하게 평가하고자 하는 건강결과를 1차 평가변수라고 하는데, 일반적으로 1차 평가변수의 값을 이용하여 연구대상자 수를 계산한다. 그 외의 나머지 건강결과를 2차 평가변수로 지칭한다. 통계분석에 관한 항목에서는 연구에서 다루는 모든 종류의 1차, 2차 평가변수를 어떠한 통계방법으로 어떻게 분석할 것인지 기술한다. 이 부분에서는 연구에서 중도에 이탈된 대상자의 자료를 어떻게 보충할(보정할) 것인지(imputation), 계획서대로 중재를 시행하고, 평가한 대상자만 분석할 것인지(per-protocol analysis, PP분석), 아니면 중도탈락된 대상자의 자료를 포함하여 분석하기 위해서 무작위 배정된 대로 통계분석할 것인지(intention-to-treatment, ITT 분석) 등 분석대상군에 대하여서도 정의하도록 하고 있다. 또한 주 분석 외에, 인구학적 특성이나 결과에 영향을 줄 수 있는 요인 등을 이용하여 분석 대상군을 분류한 후 각 군에서 건강결과가 어떻게 차이가 나는지를 평가하는

---

* 근거문서(source document)란 임상시험이 실시되는 기관에서 대상자(환자)로부터 수집한 자료가 담겨 있는 모든 형태의 문서나 자료, 기록 등을 의미하며, 병원의 의무기록지나 검사결과, 대상자의 일기, 약국 내 자료, 영상의학적 자료 등을 포괄적으로 지칭한다. 임상시험 도중 대상자로부터 수집하는 모든 자료는 증례기록서에 수집하고 차후에 증례기록서의 내용을 분석하게 되는데, 그 내용은 근거문서와 일치하여야 하며, 증례기록지와 근거문서를 대조하여 검증하는 과정이 모니터링 활동에 포함된다(의약품 임상시험 관리기준).

하위군 분석 등 추가적인 분석을 어떻게 수행할 것인지에 대하여 계획서에 명시하도록 하여, 통계분석이 연구자 임의대로 시행되지 않도록 권장하고 있다.

다음으로 모니터링(monitoring)에 대한 내용을 기술하도록 권고하고 있다. 모니터링이란 임상시험이 계획서 및 관계 법령(임상시험 관리기준 등)에 따라 시행·기록되도록, 임상시험의 전 과정에 대하여 감독하여 연구의 품질을 관리하는 활동을 의미한다.[2] 임상연구계획서 안에 자료모니터링을 위한 독립적인 자료모니터링위원회를 구성하는지에 대한 여부, 중간분석과 조기종료에 대하여 판단하는 기준 등을 규정하며, 이상반응에 대하여 수집 및 관리하는 체계와 임상시험에서 수집된 자료의 신뢰성을 확보하기 위해 체계적, 독립적으로 연구에 대하여 조사하는 점검(audit)에 대한 내용을 기술하도록 하고 있다.[2] 모니터링과 점검 모두 연구의 품질을 보장하기 위한 활동이지만, 모니터링이 연구 진행과 동시에 시행되는 일상적인 품질 관리 활동이라고 한다면, 점검은 연구 의뢰자(혹은 식품의약품안전처 등의 규제기관)가 독립적인 제3의 점검자를 통해 해당 연구로부터 수집된 자료의 신뢰성을 점검하는 활동으로 구분해 볼 수 있다. 이러한 품질보증활동에 대한 구체적인 주체와 계획 및 방법 등의 내용이 연구계획서에 담기도록 권장하고 있다.

다음으로 연구윤리 및 연구 종료 후 연구자료의 공개를 포함한 보급 정책 등에 대한 내용을 언급하고 있다. 사람을 대상으로 한 모든 연구는 기관의 임상시험심사위원회의 연구 심의를 통해 사전에 승인을 얻은 후 연구를 진행해야 하므로, 계획서에는 IRB 심의의 계획 등에 대한 내용을 기술하도록 하고 있다. 또한 연구가 진행되는 동안 연구자의 변동과 같은 사소한 변경이나 연구대상자의 선정제외기준 및 평가방법 등의 중대한 변경이 발생할 수 있는데, 이 경우 해당 내용을 IRB 등에 어떻게 알릴 것인지 계획서에 기술해야 한다. 다음으로 연구대상자에 대한 서면동의를 언제, 누가, 어떻게 실시할 것인지, 혹은 인체유래물이나 개인식별정보의 취득방법, 이용 및 보관기간 등에 대해서 어떻게 동의를 받을 것인지에 대한 내용도 기술하여야 한다.

연구 중 수집한 자료의 기밀유지를 위해 어떠한 조치를 취할 것인지, 연구가 종료된 이후에는 어떻게 유출되지 않도록 관리할 것인지, 향후 수집된 자료가 공유될 때 개인정보를 어떻게 보호할 것인지에 대한 방안도 연구계획서에 기술되도록 하고 있다.

다음으로 연구와 관련된 주요 이슈 중 하나인 이해관계의 보고에 대하여 구체적으로 언급하도록 하고 있다. 연구책임자 및 담당자의 재정적 혹은 여타의 지원 등에 대한 내용이 계획서 안에 명시되도록 함으로써, 향후 해당 연구결과가 특정 지원기관 및 단체에 의해 받을 수 있는 잠재적인 영향의 가능성에 대해 공개하여 투명한 연구의 진행과 결과의 보고가 될 수 있도록 권고하고 있다.

또한 연구 진행과정 중 취득한 연구의 데이터에 대하여 누가 접근 가능한지에 대해서 기술하도록 하고 있다. 최근에는 연구데이터를 다른 연구자와 대중에게 공개하자는 목소리가 높아지고 있다. 만일 공공의 이익을 위해 데이터를 누구에게나 접근 가능하게 공개하려는 의도가 있다면, 계획서에 그러한 내용을 기술하고, 연구대상자에게 동의를 받을 때도 공개되는 범위에 대해 구체적으로 설명한 후 공개하도록 하는 것이 적절하다.

그 다음으로는 연구에 참여하는 인력의 교육이나 훈련, 그리고 연구로 인해 피해를 입은 대상자가 발생할 경우 필요한 보상규약 등에 대한 내용이 연구계획서에 들어가도록 권고하고 있다.

마지막으로 연구결과를 어떤 형식으로 알릴 것인지에 대한 내용도 기술하도록 권장하고 있다. 만일 해당 연구결과를 공개적으로 공표하지 않을 계획인 경우 해당 내용이 계획서 안에 기술되어야 하며, IRB에서는 연구계획서를 심의할 때 해당 자료가 공표되지 않는 것이 적절한 행위인지를 평가해야 한다. 논문의 형태로 발표하려는 경우에는 저자의 자격 요건 및 작성자 등에 대하여 기술하여야 하며, 데이터를 공유할 경우 어떠한 수준에서 공개할 지에 대해서 기술하도록 한다. 보급정책은 기존의 연구계획서에서는 일반적으로 다루지 않는 항목으로, 향후 연구가 종료된 이후에 연구대상자나 연구자, 혹은 일반 대중에게 연구결과를 어떻게 알릴 것인지, 논문의 형태로 출간한다면 어떻게 작성해서 출판할 것인지, 혹은 논문으로 출판하지 않을 경우나 공개하지 않는다면 그러한 내용을 계획서 안에 명시적으로 기술하도록 권유하고 있다. 특히 논문의 작성에 있어서, 연구자 외에 전문적으로 집필을 담당하는 사람이 고용되거나 참여하는 경우 역할 등에 대해서 기술하도록 하고 있다. 또한 논문의 형태로 요약된 자료 이외에, 대상자로부터 수집한 자료의 전체 혹은 통계분석을 위해 입력된 자료 등을 일반 대중에게 공개할 것인지 등에 대한 계획도 기술하도록 하고 있다.

부록으로는 대상자에게 제공할 연구내용에 대한 설명서와 동의서가 첨부되도록 하며, 특히 조직이나 혈액 등의 인체유래물을 수집할 경우 어떻게 수집될 것인지, 실험실 내에서 어떻게 분석될 것이며, 어떻게 보관될 것인지 등에 대한 내용도 부록에서 구체적으로 기술하도록 권고하고 있다.

이상에서 우리는 SPIRIT 2013 성명서에서 제시된 임상연구계획서의 각 항목에 대하여 검토해 보았다. 연구의 설계에 따라서, 혹은 연구의 중재가 의약품인지, 의료기기인지에 따라서 반드시 수집되어야 항목이 달라지지만, 인간대상연구의 계획서에서 공통적으로 기술되어야 할 필수 요소들이 SPIRIT 2013 성명서의 점검표 항목에 요약되어 있다고 생각하면 좋을 것이다. 따라서 앞으로 임상연구계획서를 읽거나, 혹은 작성해야 할 경우에는 SPIRIT 2013 성명서에서 제시된 항목들 중 누락되거나 잘못 기술된 항목은 없는지 점검하는 것이 필요하다. 또한 연구 유형별로 포함되어야 하는 별도의 항목들에 대해서도 SPIRIT 2013 성명서 외에도 각각의 규제기관에서 정한 별도의 지침 혹은 국제적으로 통용되는 별도의 보고지침 등에 기술되어 있으니 참고하도록 한다(구체적인 내용은 부록의 주요 보고지침의 소개 부분을 참고).

요 약

임상시험계획서는 다양한 요소들로 구성되며, SPIRIT 2013 성명서는 임상시험계획서에 공통적으로 다루어야 하는 항목들에 대한 정보를 제공하고 있다.

05

임상연구의 수행

임상연구계획서를 작성하고 나면, 이제 본격적인 연구를 시행하기 위한 준비과정에 돌입한다. 이 중 가장 먼저 해야할 일은 IRB에 연구계획을 심의받는 것이다. 연구대상자의 권리와 안전 및 복지의 측면에서 연구계획이 적절하다라고 IRB의 승인이 나면, 드디어 임상연구가 시작될 수 있다. 임상연구는 연구 준비 단계, 연구 진행 단계, 연구 종료 단계 등 크게 3단계로 구분해 볼 수 있으며, 각각의 단계에서는 다음과 같은 업무가 진행된다(표 2-5-1).

표 2-5-1. 임상연구의 단계별 업무

임상연구 준비 단계	연구 진행 단계	연구 종료 단계	비고
- 연구 기관 내부의 IRB와 식약처 등 규제기관의 연구계획 승인 - 연구대상자의 모집(광고) - 연구의 대상이 되는 약제 및 중재, 필요한 물품의 준비 - 연구자 교육 - 연구관련 문서의 준비	- 연구대상자의 등록 - 동의서의 취득 - 선정, 제외기준의 평가 - 인구, 사회학적 및 건강관련 정보의 수집 - 건강결과의 평가(outcome assessment) - 중재의 시행 - 부작용에 대한 평가 및 보고 - 연구대상자의 관리 - 임상시험약이나 의료기기 및 연구관련 물품의 보관 및 관리 - 근거문서나 증례기록서, 연구관련 문서의 기록 및 보관 - 모니터링이나 점검 등 연구 질 관리 - 연구계획의 변경 및 중간 진행 상황 등에 대한 IRB(필요 시 식약처 등 규제기관) 보고	- 연구 종료 - 연구 종료에 대한 IRB(필요 시 식약처) 보고 - 연구관련 문서의 보관 - 사용하지 않은 임상시험약이나 의료기기 등의 반납 - 연구 자료의 입력 및 분석 - 연구결과의 보고 및 발표, 출간	임상연구와 관련된 업무는 의뢰자, 연구책임자, 연구담당자, 연구간호사, 모니터링요원, 통계학자 등 연구에서의 각 주체에 따라 맡은 임무가 다르며, 누가 어떤 역할과 의무를 가지는 지는 일반적으로 연구 시작전 결정됨

임상연구의 진행에 대한 이해를 돕기 위해, 특발성 파킨슨병 환자에게 한약제제를 투여하는 연구사례를 통해 실제 연구의 진행과정을 살펴보자.[66] 해당 연구는 특발성파킨슨병 환자로 진단받고 5년 이상 levodopa제제를 복용하고 있으며, 질환의 중증도 평가 지표인 Hoehn & Yahr 2-3 단계의 중등도의 증상을 가진 환자들을 대상으로, HH368이라는 한약제제를 6주간 투여하고 12주간 건강결과를 평가하는 무작위배정, 통상치료 대조군, 평가자 눈가림, 연구자 주도 예비 임상시험이다. 해당 연구의 중재를 치료군 또는 대조군으로 1:1 비

율로 무작위배정 후 치료군에게 HH368 제제를 투여하고, 치료군과 대조군 공히 주 2회의 침치료와 한의사 면담을 시행한 후 유효성, 안전성 변수를 평가하였다.

연구를 진행하기 위해 먼저 연구계획서를 작성하고 난 후, 연구의 진행 전에 연구 기관의 IRB 심의와 규제기관의 사전 허가가 필요로 하는 경우 식품의약품안전처의 의약품임상시험계획의 심의를 신청한다. 위 예시 연구의 경우에는 이미 시판중인 약품이 아니기 때문에 기관의 IRB 승인과 식약처 승인을 모두 필요로 하는 것으로 확인되어, 두 곳에서 연구계획을 승인받았다.

이후 연구대상자의 모집을 위해 연구기관 내외에서 대상자 모집 광고를 시행한다. 위에서 언급한대로 대상자 모집광고는 IRB의 심의대상이기 때문에, 광고문안 및 광고매체에 대하여 IRB에 승인받은 대로 광고를 게시한다. 예시의 연구에서는 병원 내 벽면 광고 및 지하철 광고를 통해 대상자를 모집하였다.

다음으로 연구에 사용되는 약제와 증례기록서 등의 문서 및 필요한 물품 등을 준비한다. 임상시험의약품 등은 그 생산과 포장, 관리 등에 대하여 규정된 법률을 준수하여 엄격하게 준비하는 것이 필요하다. 연구대상자로부터 수집한 자료를 기록하는 증례기록서 등도 IRB에 심의를 받은 내용 그대로 출력하여 준비하도록 하며, 기타 측정·검사 장비 등도 제대로 작동하는지 점검 후 인증이 된 제품으로 갖추도록 한다. 예시 연구에서는 임상시험용의약품을 제약회사에서 위탁하여 생산하고, 식약처의 규정을 준수하여 포장하였으며, 병원 내 임상시험약국에 입고하여 관리를 의뢰하였다. 또한 무작위배정 임상시험으로, 배정은닉을 위하여 비투과성봉투에 배정결과를 넣고, 해당 봉투를 개봉하여 연구대상자를 배정하는 방법을 사용하였으므로, 연구시작 전에 무작위배정 결과를 넣은 봉투를 준비하였다.

그 다음으로 연구의 준비단계에서 빠져서는 안 되는 중요한 내용은 연구자의 교육이다. 연구자는 계획서에 기재된 대로, 대상자를 선정하고, 중재를 시행하며, 건강결과 및 이상반응을 평가하는 역할을 담당하므로, 연구자가 자신의 역할을 잘 이해하는 것은 매우 중요한 일이다. 임상연구의 준비단계에서 연구책임자는 참여하는 연구자가 자신의 역할을 잘 이해할 수 있도록 연구계획서의 내용과 구체적인 중재의 시행방법, 평가방법 등에 대하여 충분한 교육을 실시한다.

임상연구 진행 과정 중 다양한 문서를 다루게 된다. 임상연구의 기본문서는 연구로부터 얻어진 자료의 질에 대한 평가를 가능하게 해주는 연구와 관련된 모든 문서를 의미하며, 향후 규제 기관의 점검이 이루어질 경우 해당 문서는 검토 대상이 되는 중요한 자료가 된다. 따라서 임상연구와 관련된 필수문서를 철저히 준비, 작성, 관리, 보관해야 한다. 연구 시작 전에 임상시험용의약품에 관한 정보를 포함하고 있는 임상시험자자료집과 연구계획서, 동의서 및 모집광고, 혹시 의뢰자가 있을 경우 연구계약서, 연구대상자 보상에 관한 보험 및 보상규약 및 IRB 승인서, 식약처 승인서, 실험실적 검사의 정상범위 및 정도관리에 관한 증명서, 의약품의 표시기재사항, 의약품 취급 지침, 의약품 배달 및 운송기록, 눈가림해제절차, 무작위배정 코드 명단, 모니터링 보고서 등을 임상시험기본문서파일(trial master file, TMF)에 정리하여 확보하도록 규정하여, 연구가 시작되기 전 필요한 문서를 준비하도록 한다.[2]

임상연구 전 준비가 완료되면 연구를 진행할 수 있다. 일반적으로 연구대상자가 연구에 참여하면 다음과 같은 과정을 거쳐 연구가 진행된다(그림 2-5-1).

대상자는 모집광고를 접하고, 연구 참여가 가능한지 확인하기 위해 전화나 이메일 등을 통해 연구 참여를 신청한다. 연구자는 대상자와 직접 대면하고 동의서를 취득하고 나서 연구의 진행이 가능하기 때문에 연구와 관련된 기본 정보를 유선상, 혹은 이메일로 간략하게 설명하고, 대상자와 시간 약속을 잡는다. 연구대상자가 연구기관에 방문하면, 연구자는 대상자에게 연구에 관련된 정보가 적혀져 있는 설명문을 문서 형태로 제공하고, 연구에 대하여 설명하며, 궁금한 사항에 대하여 답변한다. 연구대상자는 연구자의 설명에 근거하여, 연구의 이득과 위해를 꼼꼼히 따진 후 주체적으로 참여를 결정하고, 동의서에 서명한다. 서명

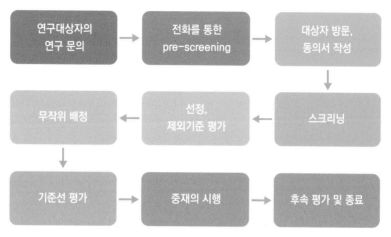

그림 2-5-1. **개별 연구대상자의 임상연구 진행 과정**

한 동의서 1부는 연구자가 보관하고, 1부(복사본 가능)는 대상자가 보관할 수 있도록 교부한다. 동의서 취득 시에는 대상자가 충분히 궁금한 점들을 물어보고, 자의에 의해 참여를 결정할 수 있도록 충분한 시간을 제공해야 한다. 또한 연구대상자가 동의서에 서명하였다고 하더라도, 자의로 연구 참여 중단을 결정할 수 있도록 동의철회가 가능하다는 것도 반드시 설명해야 한다.

동의서의 취득 이후 해당 연구대상자가 연구에 참여할 수 있는 대상인지 확인하기 위하여, 계획서에 입각하여 선정제외기준을 평가한다. 적절한 대상자가 연구에 포함되는 것은 연구의 신뢰성과 재현가능성을 보장하는데 중요한 요소이며, 선정제외기준에 맞지 않는 대상자를 모집하는 것은 연구계획의 중대한 위반이므로, 이 과정은 각별히 신경을 써야 한다. 위의 예시 연구에서는 다음 표 2-5-2에 제시된 선정제외기준을 적용하여 대상자를 선정하였다. 연구대상자로부터 판정의 기준이 되는 자료 및 신체검진, 혈액검사, 건강결과 등에 대한 평가를 시행한 후 그 결과를 확인한 후 대상자를 선정한다.

표 2-5-2. 예시 연구의 선정제외기준[66]

선정기준	판정의 기준이 되는 자료
1) 만 45세 이상 80세 이하 성인 남녀 2) 특발성 파킨슨병을 진단받고, 5년 이상 레보도파(levodopa) 제제를 복용하고 있는 자 3) Hoehn & Yahr stage 2-3에 해당되는 자 4) 인지기능에 문제가 없고, 자발적으로 서면동의를 통해 시험 참여에 동의한 자	1) 대상자의 연령 2) 파킨슨병의 과거력, 복용약물 및 복용기간 3) 파킨슨병 환자의 일상생활 기능의 정도를 평가하는 Hoehn & Yahr 등급 4) 동의서에 서명 여부
제외기준	**판정의 기준이 되는 자료**
1) 이차성 파킨슨 증후군 또는 비정형성 파킨슨양 증후군(atypical parkinsonian syndrome) 진단을 받은 경우 2) 약물의 복용이나 흡수에 영향을 줄 수 있는 질환(연하장애, 임상적으로 심각한 소화장애, 갈락토오스 불내성(galactose intolerance), Lapp 유당분해효소 결핍증(lapp lactase deficiency), 포도당-갈락토오스 흡수장애(glucose-galactose malabsorption) 등의 유전적인 문제 등이 있는 경우 3) 심근경색이나 심부전과 같은 심각한 심장질환의 과거력이 있는 경우 4) 심부뇌자극술을 시술받은 적이 있는 경우 5) 시험약에 대한 알러지 과거력이 있는 경우 6) 간질환이나 신장질환의 과거력이 있거나 혈액검사상 AST, ALT, BUN, Creatinine이 정상 상한치의 3배를 초과하는 경우 7) 임신 중이거나, 임신 가능성이 있거나, 수유 중인 여성 8) 임상시험 참여 전 30일 이내에 다른 시험에 참여한 경우 9) 임상적으로 유의한 정신과적인 증상이나 의학적인 질환, 검사실 소견 등에 의해 시험 참여가 어렵다고 시험자가 판단한 경우	1) 대상자의 구술에 의거한 해당 질환의 진단 여부 2) 대상자의 구술에 의거한 소화장애 여부 3) 대상자의 구술에 의거한 과거 병력 및 심전도 결과 4) 대상자의 구술에 의거한 해당 시술 여부 5) 대상자의 구술에 의거한 기왕력 6) 대상자의 구술에 의거한 해당 질환의 진단 여부 및 혈액검사 결과 7) 임신 여부 검사 8) 대상자의 구술 및 기존 임상연구 시스템 등록 자료 등에 의거한 판단 9) 연구자의 판단

Hoehn & Yahr stage: 파킨슨병 증상의 중증도를 평가하는 도구로 0단계는 장애가 없는 상태이며 단계가 올라갈수록 파킨슨병에 의한 장애가 심각해져, 5단계에는 휠체어나 침상에서 생활할 수 밖에 없고, 독립적인 활동이 불가능한 의존적 단계를 의미함; AST: aspartate aminotransferase; ALT: alanine aminotransferase; BUN: blood urea nitrogen

연구대상자의 참여가 적합한 것으로 판정이 되면, 무작위배정을 실시한다. 예시 연구에서는 치료군과 대조군이 1:1의 비율로 배정되도록 계획되었으며, 이에 따라서 무작위배정 봉투가 준비되었다. 연구자는 해당 대상자의 참여순서대로 일련번호에 따라 무작위배정 봉투를 개봉하여 대상자를 배정하였다.

무작위배정이 시행된 이후 중재를 시행하기 전에 기준선 평가(baseline assessment)를 시행한다. 기준선 평가는 향후 중재의 시행 종료 및 후속 평가 결과와 비교하기 위한 자료로 수집된다. 일반적으로 기준선 평가 시에는 중재가 시작되고 난 이후의 호전 정도를 파악할 수 있도록 동일한 건강결과를 수집한다. 예시 연구에서 수집하는 건강결과는 다음과 같다(표 2-5-3).

표 2-5-3. 예시 연구의 건강결과(outcome)[66]

MDS-UPDRS(파킨슨병 증상 평가 도구), 베르그(Berg) 균형검사, 일어서서 걷기 검사(timed up and go test), Schwab & England ADL score, PDQ-39, 레보도파(levodopa) 제제 복용량, 삶의 질 평가(EQ-5D-5L), 안전성 평가

MDS-UPDRS: The Movement Disorder Society Unified Parkinson's Disease Rating Scale, 파킨슨병과 관련된 운동, 비운동 증상 등을 포괄적으로 평가하는 대표적인 도구

기준선 평가를 시행한 후 연구계획서에 의거하여 중재를 시행한다. 연구계획서에는 중재를 적용하는 빈도와 총 횟수, 구체적인 방법들이 기술되어 있으며, 필요한 경우 별도의 지침을 마련하여 계획한 중재가 적절히 제공될 수 있도록 한다. 예시 연구의 경우 다음과 같이 중재가 제공되었다(표 2-5-4).

표 2-5-4. 예시 연구의 중재 [66]

시험군의 중재	대조군의 중재
- HH368 4 g을 1일 2회(8 g) 복용함. - 임상시험약은 총 42일간 복용함. - 기존에 복용하던 레보도파(levodopa) 제제는 중단없이 지속적으로 복용함. - 임상시험용의약품의 복용 이외에 1주일에 2회 침치료와 한의사 면담을 실시함. - 침치료의 시술은 한의사 전문의가 시행하며, 0.25 x 40 mm 스테인리스 침을 사용함. - 필수로 선택하는 경혈은 백회(GV20), 양측 태양(EX-HN5), 풍지(GB20), 합곡(LI4), 외관(TE5), 수삼리(LI10), 곡지(LI11), 양릉천(GB34), 족삼리(ST36), 현종(GB39), 태충(LR3), 족임읍(GB41)이며, 증상에 따라 염천(CV23), 승장(CV24) 등이 추가로 시술될 수 있음.	- 기존에 복용하던 레보도파(levodopa) 제제는 중단없이 지속적으로 복용함. - 임상시험용의약품의 복용 이외에 1주일에 2회 침치료와 한의사 면담을 실시함. - 침치료의 시술은 한의사 전문의가 시행하며, 0.25 x 40 mm 스테인리스 침을 사용함. - 필수로 선택하는 경혈은 백회(GV20), 양측 태양(EX-HN5), 풍지(GB20), 합곡(LI4), 외관(TE5), 수삼리(LI10), 곡지(LI11), 양릉천(GB34), 족삼리(ST36), 현종(GB39), 태충(LR3), 족임읍(GB41)이며, 증상에 따라 염천(CV23), 승장(CV24) 등이 추가로 시술될 수 있음.

연구대상자는 중재의 시행과 평가를 위하여 정해진 시기에 방문하도록 안내받는다. 성공적으로 연구를 완수하기 위해서는 계획서에 기록된 대로 연구대상자에 중재가 시행되어야 하며, 일정에 맞추어 평가가 진행되어야 한다. 연구대상자가 연구를 완료하지 못하고 중간에 이탈하는 경우를 중도탈락이라고 한다. 중도탈락이 발생하는 이유는 임상연구의 참여로 인하여 연구 중재를 복용하거나 시술을 받는 과정 중 심각한 이상반응이 발생하거나, 중재가 전혀 효과가 없는 경우, 혹은 증상이 완전히 소실되거나 현저한 호전을 경험하는 경우 같이 연구에서 제공된 중재에 의해서 발생할 수 있으며, 중재와 무관한 다른 건강상 문제가 발생하거나, 이사 및 전직 등의 사유로 참여가 어려운 경우에 발생한다. 그런데 이러한 불가피한 요인 외에도 대상자가 방문일정을 지키지 않거나 금지한 치료를 받는 등 연구 규칙을 위반한 경우, 대상자가 연구에 더 이상 참여하고 싶지 않다고 밝혀 동의철회를 하는 경우 등이 발생할 수 있다. 연구에서 이탈한 대상자의 수가 많을수록 연구결과의 확실성이 저하될 수 있기 때문에, 연구자들은 대상자의 이탈을 최대한 방지하기 위하여 연구대상자에게 지속적

인 관심을 기울여야 하며, 주기적인 연락(전화) 등을 통한 일정의 안내, 연구 참여와 관련된 불편한 요소를 확인하여 개선하는 노력 등을 기울여야 한다.

임상연구의 진행과정에서 중요한 내용 중 하나는 연구로부터 얻은 자료의 질이 보장되어야 한다는 점이다. 임상연구가 규정에 따라 적절하게 시행되고, 임상연구로부터 얻은 자료가 투명하게 수집되고 관리되고 있는지 객관적인 확인과 점검을 통하여 자료의 신뢰성은 보장될 수 있다. 이러한 활동을 임상연구의 품질관리라고 정의하며, 임상연구의 의뢰자(sponsor)가 이에 대한 의무를 이행해야 한다. 의뢰자는 연구자료에 대한 모니터링을 시행하고, 의뢰자 또는 경우에 따라서 규제당국에서는 실태조사를 통해 임상연구의 전 단계에 대한 품질관리를 실시한다.[58] 임상연구를 모니터링하는 모니터요원(clinical research associate, CRA)은 임상연구와 관련된 규제기관의 규정과 연구윤리 및 임상연구에 대한 전문적인 지식과 실무능력을 가지고, 독립적으로 활동하는데, 임상연구의 전단계에 관여하며, 임상연구가 관련 법규와 임상연구계획서 및 임상연구 윤리원칙에 타당하게 시행되고 있는지, 대상자의 안전과 권리를 침해하는 부분은 없는지, 수집하는 연구자료의 신뢰성이 보장되는지 등에 대해서 규칙적으로 모니터링한다. 갈수록 임상연구가 복잡해지고, 규정이 바뀌거나 신설되는 일이 많아서, 모니터요원이 모니터링과 같은 일상적인 품질보증 활동 외에도 연구관련 문서를 준비하거나 연구계약을 검토하고, 임상연구의 진행상황을 파악 및 연구와 관련된 교육에 참여하는 등 업무의 범위가 넓어지고 있다.

연구계획서에 기재된 수의 연구대상자를 모집하고, 중재와 평가를 모두 마치게 되면 임상연구가 종료된다. 연구가 종료되면, 임상연구의 진행 상황 및 연구결과의 요약, 이상반응 사례 등을 분석하여 IRB에 보고한다. IRB는 각각의 임상연구가 규정을 준수하면서, 대상자에게 심각한 위해를 초래하지 않고, 적절하게 수행되었는지를 평가한다. 만일 해당 연구가 식약처의 임상시험계획승인을 받고 진행되었다면, 종료 후에 식약처에도 그 내용을 보고해야 한다. 임상연구와 관련된 자료는 연구 종료후 상당기간 보관해야 하며, 의약품 품목허가를 위한 임상시험의 경우 허가일로부터 3년간 보관해야 하는 의무가 있다. 임상연구와 관련된 기본문서는 임상시험실시기관의 장이 정한 장소에 보관해야 하며, 임상시험의 경우 의뢰자도 기본문서를 보관해야 할 책임이 있다.[2] 문서보관과 동시에 사용하지 않은 임상시험약이나 의료기기는 정한 절차에 따라 의뢰자에게 반납하여야 한다. 임상시험용의약품은 안전성과 유효성이 확립된 제품으로 시판을 허가 받은 약이 아니며, 임상시험의 용도로 일시적으로 사용이 허가되었기 때문에, 임상시험용의약품을 치료적 목적으로 연구 외에 사용하는 것은 금지되어 있다. 하지만 말기암이나 후천성면역결핍증 같이 중대한 질병을 가진 환자 및 심각한 질병으로 인해 생명이 위태로운 환자나 치료시기를 놓치면 치료효과를 기대하기 어려우며, 대체 치료가 없는 환자의 경우 임상시험을 위해 제조되거나 수입된 의약품을 식약처의 "임상시험용의약품의 치료목적 사용 승인"을 신청하여 승인된 경우에 한하여 사용할 수 있다.[67] 이와 같이 별도로 허가된 경우가 아니라면, 해당 약품은 의뢰자에게 반납 후 정한 절차에 따라 폐기되어야 한다. 이와 동시에 임상연구로부터 수집한 자료는 입력되고, 분석되며, 그 결과는 보고서와 논문의 형태로 출간되게 된다.

요 약

임상연구의 수행 과정 곧 연구대상자의 모집과 대상자 선정, 무작위배정과 및 중재의 시행, 건강 결과의 평가와 분석은 모두 연구계획서에 기술된 내용에 따라서 시행되어야 한다. 연구의 품질을 보장하기 위한 활동으로 의뢰자는 모니터링을 시행하며, 연구와 관련된 모든 내용은 충실히 잘 기록되고, 보관되어야 한다.

SECTION

06

임상연구 결과의 보고

임상연구가 종료되고 나면, 연구계획서에 따라서, 수집된 자료를 분석하고, 그 내용을 보고서로 작성하여 의뢰자나 규제기관에 제출하거나, 논문의 형태로 출간해야 한다. 연구의 결과를 담은 논문은 임상의나 환자 및 정책결정자 또는 다른 연구자가 접하는 첫 번째 자료임과 동시에, 대부분의 경우 마지막 자료이며, 해당 결과가 의료적 의사결정에 직접적으로 활용될 수 있기 때문에, 숨김없이 정확한 연구 내용을 담고 있어야 한다. 그런데 연구결과를 보고하는 과정에서 빈번히 발생하는 몇 가지 문제점들이 이미 널리 알려져 있다. 치료군과 대조군 사이에 통계적으로 유의한 차이(효과)가 없어서 계획서에 기록되고 실제 수집된 특정 건강결과(outcome)를 논문에 기록하지 않거나, 통계적으로 유의한 차이가 있지만 계획서에 평가 및 분석하기로 되어 있지 않은 건강결과를 임의로 논문에 포함시킬 때, 혹은 1차 평가변수(primary outcome)로 설정된 건강결과 대신 2차 평가변수(secondary outcome)로 계획된 건강결과의 분석 결과를 이용하여 해당 중재의 유효성에 대하여 결론을 내리거나, 계획서에 비교하겠다고 기술한 시기가 아니라, 다른 시점에 평가한 자료를 이용하여 결론을 도출한 경우 등은 모두 선택적 결과보고 비뚤림(selective outcome reporting bias)의 위험이 높다고 평가하며, 해당 연구로부터 얻은 중재의 효과는 과대추정되었을 가능성이 있다고 판단할 수 있다.[68] 이러한 선택적 결과보고는 다양한 질환을 대상으로 한 연구에서 광범위하게 보고되고 있다. 최근 출간된 연구에서는 약 31%의 임상연구에서 계획된(등록된) 1차 평가변수와 논문에 보고된 1차 평가변수가 달랐으며, 그것은 연구가 출간된 학술지의 종류나 연구비를 어디서 받는가에 무관하게 빈번하게 발생하고 있다고 밝히고 있다.[69]

연구결과와는 별도로, 논문 안에는 임상연구와 관련된 구체적인 방법들이 기술되어 있으며, 그 내용을 바탕으로 향후 체계적문헌고찰을 수행할 때 해당 연구의 비뚤림위험이나 질 평가를 시행하게 된다. 따라서 필수적인 내용이 해당 논문이나 보고서에 기술되지 않으면, 연구가 적절히 수행되었는지 판단할 수 없다. 또한 연구가 잘 계획되고, 절차에 따라 적절히 수행되었음에도 불구하고, 연구결과의 보고가 불완전한 경우, 연구의 질에 대한 부정적인 인상을 가지게 되어 공들여 시행한 연구가 쉽게 출간되지 못할 수 있고, 설령 출간된다고 할지라도 비뚤림위험이 높거나 불확실한 연구로 치부될 수 있다. 그리고 계획된 대로 보고하지 않음으로 인하여 불가피하게 중재의 효과가 부정확하게 추정될 우려가 있다. 이렇게 연구가 종료된 이후 결과보고의 단계에서 발생가능한 비뚤림은 앞에서 언급한 연구 설계 및 시행 과정에 영향을 미치는 다른 비뚤림과 성격이 다르며, 결과보고 비뚤림을 방지하기 위하여 적절한 조치가 필요하다.

이러한 문제점들을 해결하기 위해 제안된 것이 바로 보고지침(reporting guideline)이다. 이 중 무작위대조군임상연구의 연구결과가 투명하게 보고될 수 있도록, David Moher와 Douglas Altman 등의 임상연구 방법론 전문가들이 협의를 통해 제안한 것이 CONSORT 2010 지침(statement)이다.[70, 71] CONSORT 2010 지침은 무작위대조군임상연구의 결과를 보고할 때 꼭 들어가야 할 25개 점검항목(checklist)과 연구 흐름도(flow chart)에 대한 서식을 제공하고 있으며, 각 항목과 관련된 구체적인 설명은 'CONSORT 2010 상세 설명 및 기술' 문서를 통해 확인할 수 있다.[70] 한글 공식번역본이 한국역학회의 한국역학회지(Epidemiology and Health)에 게재되어 있기 때문에, 국내에서도 편리하게 이용할 수 있다.[72] CONSORT 2010 지침을 활용하여 임상연구 결과를 보고하면 연구와 관련된 필수적인 내용이 누락될 가능성을 줄일 수 있기 때문에, 연구자들은 임상연구의 결과를 담고 있는 논문이나 보고서를 작성할 때 이 지침을 반드시 이용하여야 한다. 또한 의학저널의 편집자나 리뷰어 혹은 논문의 최종 독자들은 해당 논문의 CONSORT 점검항목을 확인하여, 연구보고서(혹은 논문)의 문제점을 쉽게 파악할 수 있는 장점이 있기 때문에 이 지침의 내용을 알아두는 것이 도움이 된다.

표 2-6-1. CONSORT 2010 지침의 점검항목

CONSORT 2010 지침의 항목	설명	Liu 등의 논문에서 페이지 번호63 *
제목과 초록	제목에는 무작위대조임상시험임이 표시, 초록은 시험설계, 결과, 결론 등을 구조화하여 기술	54페이지
서론		
배경과 목적	연구의 과학적 배경과 근거, 구체적 가설 제시	54-55페이지
방법		
시험설계	시험설계(배정비율), 시험 시작 이후 중대한 변화 기술	55페이지
참가자	연구대상자의 선정제외기준 및 자료의 수집 환경 기술	55페이지
중재	구체적인 중재의 내용을 기술(언제 어떻게 시행)	55-56페이지
결과	일차, 이차 평가변수의 종류 및 언제 평가 되는지 기술	56페이지
연구대상자 수	대상자 수의 결정 방법에 대한 기술	58페이지
무작위배정-무작위순서의 생성	무작위배정을 위한 순서 생성 방법을 기술	55페이지
무작위배정-은폐방법	무작위배정을 위한 순서가 연구대상자와 연구자에게 어떻게 은폐되었는지 기술	55페이지
무작위배정-시행	무작위배정을 시행하는 주체에 대하여 기술	55페이지

---

* 2019년 Liu 등이 Mayo Clinic Proceedings에 출간한 'Electroacupuncture versus pelvic floor muscle training plus solifenacin for women with mixed urinary incontinence: a randomized noninferiority trial' 논문을 CONSORT 2010 지침의 점검항목을 적용하여 평가한 예시이다. 번호는 해당 논문에서 각 항목의 내용이 포함된 페이지 번호를 의미한다.

CONSORT 2010 지침의 항목	설명	Liu 등의 논문에서 페이지 번호63 *
눈가림	연구에 참여하는 연구자, 대상자 중 누가 눈가림 되었는지, 어떤 방법으로 눈가림 되었는지 기술, 중재의 유사성 등에 대한 내용도 기술	55페이지
통계적 방법	일차, 이차 평가변수의 군간 비교를 위한 통계적 방법과 하위군 분석을 위한 추가적 통계분석방법을 기술	58페이지
연구결과		
참가 흐름도	각 군에 배정된 대상자 수 및 의도된 중재를 시행한 대상자 수, 일차 평가변수의 분석에 포함된 대상자 수를 표시, 중도 탈락된 대상자 수와 사유 기재	57페이지
모집	대상자의 모집기간, 시작 및 종료 일자 등을 기술	59페이지
시작 시점 자료	연구대상자의 기준선 평가 자료 및 인구학적 요인에 대한 자료 제시	58-59페이지
분석된 수	각 군당 분석에 포함된 대상자의 수를 기술	60페이지
결과와 추정	일차 및 이차 평가변수에 대한 각 군의 연구결과 및 군간 차이로 제시되는 추정된 효과크기와 95% 신뢰구간을 기술, 이분형 변수의 경우 절대 및 상대적인 효과크기값을 제시	60-61페이지
부차적 분석	하위군 분석 등의 결과를 제시	60-61페이지
위해	각 군별로 발생한 이상반응과 의도되지 않은 반응에 대하여 기술	61페이지
고찰		
한계	임상연구의 한계와 비뚤림위험 등에 대하여 기술	64페이지
일반화	연구결과가 일반에게 적용가능한 지에 대하여 기술	기술이 없음
해석	다른 유효한 문헌들을 참고하고, 해당 중재에 의한 이득과 위해 사이의 균형을 고려하여 결과의 해석을 제시함	63-64페이지
다른 정보		
등록	임상연구계획의 등록 레지스트리 이름과 등록 번호	54페이지
연구계획서	가능한 경우 연구계획서는 어디에서 열람이 가능한지 기술	64페이지
연구비	연구비의 출처와 다른 형태의 지원 및 연구비 지원자(의뢰자)의 역할에 대하여 기술	64페이지

CONSORT 2010 지침에서 다루고 있는 항목은 위에서 언급한 SPIRIT 2013 성명서의 점검표의 내용과 상당히 흡사하다. 다만 SPIRIT 2013 성명서의 경우 임상연구를 수행하기 전 연구계획서를 작성하기 위하여 필수적인 항목을 수록하고 있기 때문에 연구 방법 위주로 항목이 구성되어 있는 반면, CONSORT 2010 지침의 경우에는 연구 방법 외에도 실제 연구 결과 및 해석, 연구의 한계점 같이 연구 논문의 형태로 작성할 때 포함되어야 할 사항을 다루고 있다는 측면에서는 차이가 있다.

CONSORT 2010 지침이 발표된 이후, 대부분의 의학저널(medical journal)에서는 무작위 대조군임상연구의 결과를 담은 논문을 투고할 때 CONSORT의 점검표(checklist)를 이용하여 논문에 각각의 항목을 담고 있는지 자가 점검 후, 각 항목이 실제 적혀있는 논문의 페이지를 적어서 함께 투고하도록 권고하고 있고, 만일 점검표가 누락된 경우에는 별도로 요구하거나 아니면 더 이상의 심사를 진행하지 않고 저자에게 반송하도록 하고 있다. 따라서 무작위대조군연구에 대한 논문을 작성할 때는 CONSORT 2010 지침을 참고하여 작성하는 것이 좋다.

그렇다면 CONSORT 2010 지침은 실제로 어떠한 영향을 끼쳤을까? 2012년에 출간된 리뷰 논문에서, CONSORT 2010 지침이 의학 학회지에 출간된 무작위대조군연구의 보고 상 완결성에 끼친 영향을 평가한 적이 있다. 총 16,604편의 무작위대조군연구를 분석하였을 때 CONSORT 2010 지침을 사용해서 보고하도록 한 학술지의 경우 그렇지 않은 경우에 비해서 필수적인 항목을 더 완전하게 기술하고 있다고 보고하고 있다.[73] 임상연구 보고의 질을 높이는 것은 연구과정을 분명하게 이해할 수 있게 하고, 연구결과의 신뢰성을 높여, 활용도를 제고하는데 기여한다. 임상연구를 설계하거나 보고를 계획하는 연구자 및 임상연구의 결과를 읽는 독자 모두 CONSORT 2010 지침을 활용하는 것은 이제 필수적인 일임을 이해하는 것이 필요하다.

CONSORT 2010 지침의 세부 항목들은 상당수가 SPIRIT 2013 성명서와 중복되기 때문에 여기에서는 모두 다 언급하지는 않고, CONSORT 2010 지침에 특수한 항목만을 언급하도록 한다. 연구결과의 참가 흐름도(flow diagram)는 연구대상자의 선정, 무작위배정, 중재 및 평가의 시행, 결과의 분석 과정에서 몇 명의 대상자가 각 단계에 포함되었는지를 일목요연하게 파악가능하게 하는 도표이다. 참가 흐름도를 통해 해당 논문을 읽는 사람은 연구 진행 및 분석을 이해하기 위한 기초적인 실마리를 얻을 수 있다(그림 2-6-1).

다음으로 모집에 관련된 부분에서는 연구가 진행되는 기간 동안 총 몇 명의 대상자가 참여가 가능한지 스크리닝되었고, 몇 명이 선정되었는지 구체적인 내용을 기술한다. 분석된 수 항목에서는 각 군에 배정된 연구대상자 중 몇 명의 자료가 통계분석에 사용되었는지 언급한다. 통계 방법에 따라 분석대상군이 결정되므로 전체 모집된 대상자 중 몇 명이 분석되었는지 정

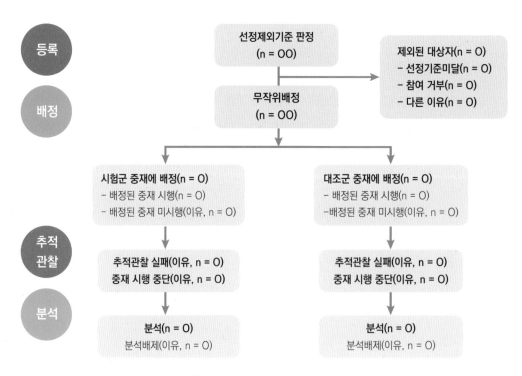

그림 2-6-1. CONSORT 2010 지침의 참가 흐름도 서식

확히 기술해야 한다. 다음으로 결과와 추정에서 특징적인 내용은 각 군의 연구결과를 요약하는데서 그치지 않고, 군간의 차이로부터 효과크기를 추정한 값을 95% 신뢰구간과 같이 제시해야 한다는 점이다. CONSORT 2010 지침 이전에는 군간 통계적인 유의성 여부를 확인하기 위해 p값만을 제시하였으나, 지침에서는 군간 차이값(효과크기)을 구체적으로 제시하도록 권고하고 있다. 마지막으로 고찰에서는 해당 연구의 한계와 일반화 가능성에 대한 내용을 담도록 권고하고 있다.

CONSORT 2010 지침은 무작위배정임상연구의 결과를 보고하기 위한 지침으로 모든 형태의 임상연구에 활용하는 데에는 한계가 있다. 따라서 연구의 특수성에 기반하여 확장된 CONSORT 지침(CONSORT extension)들이 이미 개발되었거나 개발 중에 있다. 다른 형태의 임상연구 결과의 보고에 관련된 지침들의 정보는 부록 2의 주요 보고 지침 소개 부분을 참고하도록 한다.

본 서식은 CONSORT 2010의 홈페이지에서 다운로드 받을 수 있다.[71]

요 약

임상연구의 수행에 못지 않게, 연구결과에 대한 논문(보고서)을 완결성있게 작성하고 출판하는 일은 중요하다. 임상연구 보고의 질을 제고하기 위하여 CONSORT 2010 지침이 공표되었으며, 연구 결과에 대한 논문을 작성하는 연구자와 임상연구결과에 대하여 읽는 독자 모두 이 지침을 활용하는 것이 도움이 된다.

알기 쉬운 임상연구 입문 가이드

참고문헌

1.	Learn About Clinical Studies, https://clinicaltrials.gov/ct2/about-studies/learn.

2.	의약품 임상시험 관리기준, http://www.law.go.kr/admRulLsInfoP. ?admRulSeq=2000000012617#J7:0

3.	Monahan T, Fisher JA: Benefits of 'observer effects': lessons from the field. *Qualitative research* 2010, 10(3):357-376.

4.	Zhao F, Zeng J, Xian S, Lin X, Liu K, Lu L, Lin G, Wang S: Acupuncture improves paralytic ileus secondary to sepsis: a case report. *Acupuncture in Medicine* 2019:0964528419883279.

5.	Gagnier JJ, Kienle G, Altman DG, Moher D, Sox H, Riley D: The CARE guidelines: consensus-based clinical case reporting guideline development. *Journal of medical case reports* 2013, 7(1):223.

6.	Parkinson J: An essay on the shaking palsy. *The Journal of neuropsychiatry and clinical neurosciences* 2002, 14(2):223-236.

7.	McBride WG: Thalidomide and congenital abnormalities. *Lancet* 1961, 2(1358):90927-90928.

8.	Aronson JK: Anecdotes as evidence. In.: British Medical Journal Publishing Group; 2003.

9.	이승민, 신예슬, 남동우, 최도영: CARE 지침 한국어판 제작. *대한침구의학회지* 제 2015, 32(4).

10.	Perneger TV, Whelton PK, Klag MJ: Risk of kidney failure associated with the use of acetaminophen, aspirin, and nonsteroidal antiinflammatory drugs. *New England Journal of Medicine* 1994, 331(25):1675-1679.

11.	Mellin GW, Katzenstein M: The saga of thalidomide: neuropathy to embryopathy, with case reports of congenital anomalies. *New England Journal of Medicine* 1962, 267(23):1184-1193.

12.	Doll R, Hill AB: Study of the aetiology of carcinoma of the lung. *British medical journal* 1952, 2(4797):1271.

13.	Kim HJ, Lee M-S, Hong S-B, Huh JW, Do K-H, Jang SJ, Lim C-M, Chae EJ, Lee H, Jung M: A cluster of lung injury cases associated with home humidifier use: an epidemiological investigation. *Thorax* 2014, 69(8):703-708.

14.	http://sphweb.bumc.bu.edu/otlt/MPH-Modules/BS/BS704-EP713_Confounding-EM/BS704-EP713_Confounding-EM4.html.

15.	Gordis L: Epidemiology. Forth edition. *Εκδόσεις: Saunders* 2008.

16.	Munjal S, Alam A, Reed M, Fanning K, Dodick D, Schwedt T, Buse D, Lipton R: Most Bothersome Associated Migraine Symptom: Results from 2017 Migraine in America Symptoms and Treatment (MAST) Study (P3. 10-017). In.: AAN Enterprises; 2019.

17. https://www.hankyung.com/economy/article/201906115394g

18. Aveyard P, Arnott D, Johnson KC: Should we recommend e-cigarettes to help smokers quit? *BMJ* 2018, 361:k1759.

19. Lee S, Grana RA, Glantz SA: Electronic cigarette use among Korean adolescents: a cross-sectional study of market penetration, dual use, and relationship to quit attempts and former smoking. *Journal of Adolescent Health* 2014, 54(6):684-690.

20. Manzoli L, Flacco ME, Ferrante M, La Vecchia C, Siliquini R, Ricciardi W, Marzuillo C, Villari P, Fiore M: Cohort study of electronic cigarette use: effectiveness and safety at 24 months. *Tob Control* 2017, 26(3):284-292.

21. 오동진 외: 효과적인 심혈관질환의 예방을 위한 국가적 보건정책 제안. *건강과 질병* 2018, 11(40).

22. https://www.framinghamheartstudy.org/fhs-about/history/

23. Kim T-H, Kang JW, Kim KH, Kang K-W, Shin M-S, Jung S-Y, Kim A-R, Jung H-J, Choi J-B, Hong KE: Acupuncture for the treatment of dry eye: a multicenter randomised controlled trial with active comparison intervention (artificial teardrops). *PLoS One* 2012, 7(5):e36638.

24. Pildal J, Hrobjartsson A, Jørgensen K, Hilden J, Altman D, Gøtzsche P: Impact of allocation concealment on conclusions drawn from meta-analyses of randomized trials. *International journal of epidemiology* 2007, 36(4):847-857.

25. Higgins JP, Green S: Cochrane handbook for systematic reviews of interventions, vol. 4: John Wiley & Sons; 2011.

26. Moustgaard H, Clayton GL, Jones HE, Boutron I, Jørgensen L, Laursen DL, Olsen MF, Paludan-Müller A, Ravaud P, Savović J: Impact of blinding on estimated treatment effects in randomised clinical trials: meta-epidemiological study. *bmj* 2020, 368.

27. Hróbjartsson A, Thomsen ASS, Emanuelsson F, Tendal B, Hilden J, Boutron I, Ravaud P, Brorson S: Observer bias in randomised clinical trials with binary outcomes: systematic review of trials with both blinded and non-blinded outcome assessors. *Bmj* 2012, 344.

28. Krystal AD, Preud'homme XA: Double-Blind, Placebo-Controlled, Crossover Study of Armodafinil Treatment of Daytime Sleepiness Associated With Treated Nocturia. *Sleep* 2016, 40(1).

29. Senn SS: Cross-over trials in clinical research, vol. 5: John Wiley & Sons; 2002.

30. Walden M, Atroshi I, Magnusson H, Wagner P, Hagglund M: Prevention of acute knee injuries in adolescent female football players: cluster randomised controlled trial. *Bmj* 2012, 344:e3042.

31. Lorenz E, Kopke S, Pfaff H, Blettner M: Cluster-Randomized Studies. *Dtsch Arztebl Int* 2018, 115(10):163-168.

32. Giraudeau, Bruno, and Philippe Ravaud: Preventing bias in cluster randomised trials." PLoS Med, 2009: e1000065.

33. Heller J: Syphilis victims in US study went untreated for 40 years. *New York Times* 1972, 1:8.

34. Caplan AL: Twenty years after. The legacy of the Tuskegee Syphilis Study. When evil intrudes. *The Hastings Center Report* 1992, 22(6):29-32.

35. Mandal J, Acharya S, Parija SC: Ethics in human research. Tropical parasitology 2011, 1(1):2.

36. https://www.cdc.gov/tuskegee/index.html

37. Paul C, Brookes B: The rationalization of unethical research: revisionist accounts of the Tuskegee syphilis study and the New Zealand "unfortunate experiment". *American journal of public health* 2015, 105(10):e12-e19.

38. Munson R: Intervention and reflection: basic issues in bioethics: Tompson Higher Education; 2008.

39. Goldby S, Krugman S, Pappworth M, Edsall G: The Willowbrook Letters: Criticism and Defense. *The Lancet* 1971.

40. Krugman S: The Willowbrook hepatitis studies revisited: ethical aspects. *Reviews of infectious diseases* 1986, 8(1):157-162.

41. 최병인역: 생명과학 연구윤리 교육과정 기본과정-피험자 보호와 연구윤리 편; 2010.

42. Annas GJ, Grodin MA: Reflections on the 70th anniversary of the Nuremberg doctors' trial. In.: American Public Health Association; 2018.

43. Markman JR, Markman M: Running an ethical trial 60 years after the Nuremberg Code. *The lancet oncology* 2007, 8(12):1139-1146.

44. The Nuremberg Code. Trials of war criminals before the Nuremberg military tribunals under control council law 1949, 10:181-182.

45. https://www.wma.net/policies-post/wma-declaration-of-helsinki-ethical-principles-for-medical-research-involving-human-subjects/

46. 국가생명윤리정책연구원역: 세계의사회 헬싱키 선언: 인간 대상 의학연구 윤리원칙. *J Korean Med Assoc* 2014, 57(11):899-902.

47. Carlson RV, Boyd KM, Webb DJ: The revision of the Declaration of Helsinki: past, present and future. *British journal of clinical pharmacology* 2004, 57(6):695-713.

48. Arie S: Revision of Helsinki declaration aims to prevent exploitation of study participants. *Bmj* 2013, 347:f6401.

49. Sims JM: A brief review of the Belmont report. *Dimensions of critical care nursing* 2010, 29(4):173-174.

50. 구영모, 권복규, 황상익: 벨몬트 보고서. *생명윤리* 2000, 1(1):2-12.

51. Miracle VA: The Belmont report: The triple crown of research ethics. *Dimensions of Critical Care Nursing* 2016, 35(4):223-228.

52. https://retractionwatch.com/category/by-reason-for-retraction/lack-of-irb-approval/page/4/

53. 박형욱: 의학연구와 생명윤리 및 안전에 관한 법률. *Journal of the Korean Medical Association* 2013, 56(8):665-675.

54. 구영모: 임상시험심사위원회 (IRB) 의 운영. The Journal of Internal Korean Medicine 2007.

55. Rid A, Wendler D: Risk–benefit assessment in medical research—critical review and open questions. Law, Probability & Risk 2010, 9(3-4):151-177.

56. Kopelman LM: Minimal risk as an international ethical standard in research. The Journal of medicine and philosophy 2004, 29(3):351-378.

57. 최용성 외: 임상시험심사위원회 위원과 연구자를 대상으로 연구의 위험평가 설문조사. *Journal of KAIRB* 2019, 1(1):5-21.

58. https://www.fda.gov/patients/drug-development-process/step-3-clinical-research

59. 의약품 임상시험 계획 승인에 관한 규정, http://www.law.go.kr/admRulLsInfoP. do ?admRulSeq =2100000018982

60. Machin D, Fayers PM: Randomized clinical trials: design, practice and reporting: John Wiley & Sons, Ltd; 2010.

61. http://www.law.go.kr/법령/의약품등의 안전에 관한 규칙

62. Chan A-W, Tetzlaff JM, Altman DG, Laupacis A, Gøtzsche PC, Krleža-Jerić K, Hróbjartsson A, Mann H, Dickersin K, Berlin JA: SPIRIT 2013 statement: defining standard protocol items for clinical trials. *Annals of internal medicine* 2013, 158(3):200-207.

63. Liu B, Liu Y, Qin Z, Zhou K, Xu H, He L, Li N, Su T, Sun J, Yue Z: Electroacupuncture versus pelvic floor muscle training plus solifenacin for women with mixed urinary incontinence: a randomized noninferiority trial. *Mayo Clinic Proceedings* 2019, 94(1):54-65.

64. Sim I, Chan A-W, Gülmezoglu AM, Evans T, Pang T: Clinical trial registration: transparency is the watchword. *The Lancet* 2006, 367(9523):1631-1633.

65. https://cris.nih.go.kr/cris/use_guide/cris_introduce.jsp.

66. 특발성 파킨슨병 환자의 임상증상 개선에 대한 한약제제(HH368)의 유효성 및 안전성 평가 프로토콜, https://cris.nih.go.kr/cris/search/search_result_st01.jsp?seq=12068.

67. 약사법, http://www.law.go.kr/법령/약사법

68. Rankin J, Ross A, Baker J, O'Brien M, Scheckel C, Vassar M: Selective outcome reporting in obesity clinical trials: a cross-sectional review. *Clinical obesity* 2017, 7(4):245-254.

69. Jones CW, Keil LG, Holland WC, Caughey MC, Platts-Mills TF: Comparison of registered and published outcomes in randomized controlled trials: a systematic review. *BMC medicine* 2015, 13(1):282.

70. Moher D, Hopewell S, Schulz KF, Montori V, Gøtzsche PC, Devereaux P, Elbourne D, Egger M, Altman DG: CONSORT 2010 explanation and elaboration: updated guidelines for reporting parallel group randomised trials. *Journal of clinical epidemiology* 2010, 63(8):e1-e37.

71. CONSORT Website, http://www.consort-statement.org.

72. Lee JS, Ahn S, Lee KH, Kim JH: Korean translation of the CONSORT 2010 Statement: updated guidelines for reporting parallel group randomized trials. *Epidemiology and health* 2014, 36.

73. Turner L, Shamseer L, Altman DG, Schulz KF, Moher D: Does use of the CONSORT Statement impact the completeness of reporting of randomised controlled trials published in medical journals? A Cochrane review a. *Systematic reviews* 2012, 1(1):60.

PART

03

연구결과의 활용

SECTION

01. 의학저널이란?

02. 의학 데이터베이스 및 문헌의 검색

03. 비평적평가

04. 임상연구와 관련된 통계와 메타분석의 이해

SECTION 01

의학저널이란?

현대 의학의 지식은 어디에 기반하는가? 진료실에서 얻은 경험은 말할 것도 없고, 세포, 동물 수준의 기초 실험 연구 및 사람을 대상으로 하는 다양한 임상연구 결과들이 총체적으로 집적되어 의학지식을 구성하고 있다. PART 02에서 다룬 임상연구의 결과는 최종적으로 의학논문의 형태로 작성되고, 의학저널에 투고 후, 동료심사(peer review) 과정을 거쳐, 게재 확정이 되면 세상에 공표되어, 우리 손에 들어오게 된다. 이번 SECTION에서는 의학논문을 출간하는 플랫폼인 의학저널에 대해서 다룬다.

의학저널

저널(journal)은 일반적으로 학회나 연구소 혹은 전문 출판사에서 정기적으로 간행하는 출판물을 의미한다. 의학저널은 위에서 언급한대로 의학과 관련된 새로운 연구결과를 관련 분야의 임상의나 의과학자, 혹은 다른 보건의료 종사자들에게 전달해주는 역할을 담당한다. 세계에서 영향력이 있는 저널의 목록을 매년 발표하는 JCR (journal citation reports)의 2017년 보고서에 의하면 JCR에 등재된 논문 목록만 보더라도, 전세계 중 81개국에서,

11,000건이 넘는 저널이 출간되고 있으며, 이로부터 230만 건의 자료가 이용가능하다고 하니, JCR에 포함되지 않은 저널까지 포함한다면 지금 이 세상에는 셀 수 없이 많은 저널로부터 엄청난 수의 논문이 출간되고 있음을 알 수 있다.[1]

JCR의 236종 저널 분류 중 의학저널은 신경과학, 종양학, 수술학, 임상신경학, 유전학, 공공보건/환경/직업건강의학, 의학일반, 면역학, 내분비학, 심장순환계학, 의학연구, 간호학, 건강관리학, 독성학, 치의/안면성형의학, 감염병학, 소화기/간질환학, 산과/부인과학, 보건정책학, 비뇨기/신장학, 정형외과학, 병리학, 혈액학, 재활의학, 피부과학, 말초혈관질병학, 호흡기학, 노인의학, 응급의학, 류마티스학, 생식의학, 알러지학, 보완대체의학, 의료정보학, 법의학, 의료윤리학, 신경영상의학, 남성의학, 정신의학 등의 하위 범주로 구성되어 있다.[2] 다양한 영역의 의학저널들은 매년 수십~수백편의 논문을 출간하고 있으며, 출판된 논문들은 서로 간에 인용을 통해 영향을 끼치며 의학의 거대한 지식 세계를 형성하고 있다.

의학저널에 논문이 출간되기 위해서는 동료심사(peer review)라는 과정을 거친다. 동료심사란 투고한 논문의 질에 대하여 같은 분야 혹은 전문 영역의 동료 과학자들이 평가하는 방법이다. 의학저널에 논문을 투고하면, 저널의 편집자(editor)는 해당 논문이 자신들의 저널이 다루는 범위인지, 타당하게 작성되었는지를 개괄적으로 초기 심사한 후 출판될 가능성이 있는 논문에 한하여 동료심사를 실시한다. 보통 1명 이상의 검토위원(reviewer)이 해당 논문의 연구방법에서의 과학성과 수행의 윤리성, 분석의 타당성, 결과 및 해석의 적절성 등을 종합적으로 검토한 후 의견을 편집장에게 보낸다. 편집장은 해당 논문을 투고된 상태로 출간(게재가, accept)하거나, 수정 후 게재(revision), 출판거절(reject) 등의 판정을 내린다. 이 중 수정 후 게재는 중대한 결함이나 오류 등이 발견되어 논문 내용을 광범위하게 수정하거나 재집필을 필요로 하는 경우에 받게 되는 대폭 수정(major revision) 또는 철자나 논문 형식 상 수정을 요하는 일부 수정(minor revision) 판정을 받게 된다. 수정 후 게재 판정을 받은 경우 검토위원의 의견에 따라 논문을 수정하고, 재투고하면, 편집장이 직접 답변을 확인하거나 혹은 다시 검토위원에게 보내 평가하게 한 후, 그 결과를 바탕으로 게재여부를 결정

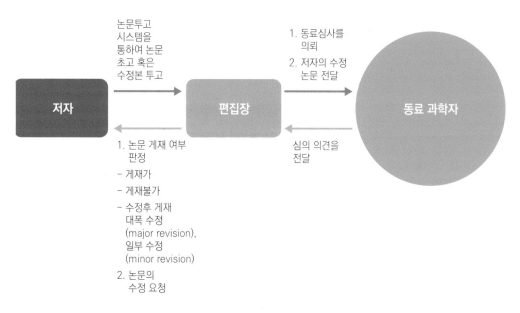

논문투고
시스템을
통하여 논문
초고 혹은
수정본 투고

저자

1. 동료심사를
   의뢰
2. 저자의 수정
   논문 전달

편집장

동료 과학자

1. 논문 게재 여부
   판정

– 게재가

– 게재불가

– 수정후 게재
  대폭 수정
  (major revision),
  일부 수정
  (minor revision)

2. 논문의
   수정 요청

심의 의견을
전달

그림 3-1-1. **동료심사의 과정**

한다. 이와 같은 동료심사는 현재 통용되는 논문의 출간 자격을 심사하는 황금률로 통용되고 있다(그림 3-1-1).

최근 저널에서 출간되는 논문은 기술의 발전에 의하여 과거의 논문과는 다소 다른 양상을 보인다. 과거의 논문은 투고 및 심사, 수정 및 게재의 결정들이 오프라인을 통해서 진행되어 출간까지 오랜 시간이 소요되었다. 또한 종이라고하는 공간이 한정된 매체를 사용하여 정기 혹은 비정기적인 인쇄물의 형태로 출간하였다. 게다가 저널의 구독자가 비용을 내고 저널을 구독하는 형식으로 재원을 충당하고 일부의 전문인만 접근 가능한 생산자 위주로 운영되는 구조이며, 논문의 편집자가 제공한 내용을 독자는 일방적으로 받아들이는 단방향 체계였다.

아직까지 이러한 구독기반(subscription) 저널이 대부분을 차지하고 있기는 하지만, 논문 출판의 흐름에 큰 변화 또한 존재한다. 인터넷 공간에 구축된 투고시스템을 통해 논문이 접수되고, 심사되며, 출판이 결정되고, 최종 결과물도 인터넷 공간에 출간되는 개방형 접속(open assess)의 저널들이 출현했다. 그 덕분에 논문 출간의 속도가 빨라졌고, 무제한으로 접속이 가능한 인터넷을 플랫폼의 기반으로 두고 있기 때문에 연구의 데이터나 부수적인 보조 자료, 그래픽을 이용한 요약 등 다양한 형태의 자료에 접근 가능하며, 논문의 내용을 소셜네트워크서비스(SNS)나 팟캐스트(podcast) 등을 통해 배포할 수 있게 되었다. 그렇기 때문에 독자는 이러한 플랫폼을 이용하여 논문 내용을 비평하거나 다른 사람에게 알리는 등 적극적인 의료정보 소비자의 역할을 하게 됐고, 생산자와 의견을 교류하게 되는 양방향 체계로 변모하고 있다. 또한 저널을 유지하기 위한 비용을 많은 저널들에서 논문을 출간하고자 하는 저자가 사용자를 대신하여 지불하도록 하고 있기 때문에, 일부 전문가들의 전유물이었던 의학 연구결과가 일반 대중에게 확대되어, 논문으로의 접근을 위한 문턱이 낮아지고 있다.

저널과 관련하여 가장 많이 언급되는 단어는 아마 SCI (science citation index)일 것이다. SCI는 Institute for Scientific Information (Clarivate Analytics)에서 제공하는 논문 인용 색인을 지칭한다. 위에서 언급한대로 매년 수많은 논문이 다양한 저널에서 출간되고 있지만, 각자가 가지고 있는 영향력은 동일하지 않다. SCI는 과학 문헌의 검색과 결과의 파급을 촉진하기 위하여 1964년 처음으로 등장한 이후 1975년부터는 매년 SCI 저널 인용 보고서(journal citation report, JCR)를 통하여 발표되고 있다. 이 보고서에 어떤 저널이 등재되었다는 것은 해당 저널이 논문의 심사와 출간 과정에서 합리적으로 운영되고 있고, 그 저널이 해당되는 분야에서 상당한 영향력을 가지고 있다고 우선 생각할 수 있다.[1, 3] 따라서 연구자들은 가급적 SCI에 등재된 저널에 자신의 논문이 출판되기를 희망한다.

그렇다면 여기서 말하는 저널의 영향력은 어떻게 평가하는가? 현재 통용되는 방법은 저널에 수록된 논문들이 얼마나 많이 인용되는지를 계산하여, 인용이 많을수록 영향력이 더 큰 저널로 인정하는 것이다. 매년 저널 인용 보고서가 발표되면서 SCI에 수록된 각 저널의 영향력 지수(impact factor)도 발표되는데, 해당 저널에서 금년에 발생한 총 인용 건수를 작년과 재작년에 출간된 논문 수로 나눈 것이 영향력 지수이다. SCI와 SCIE는 과학기술분야의 저널 색인이고, SSCI는 사회과학분야, A&HCI는 인문예술분야의 저널 색인을 지칭한다. 2020년부터는 SCI와 SCIE를 하나로 통합하여 SCIE로 관리하고 있다.[4]

1. Web of Science에 접속한다.
(https://mjl.clarivate.com/home)

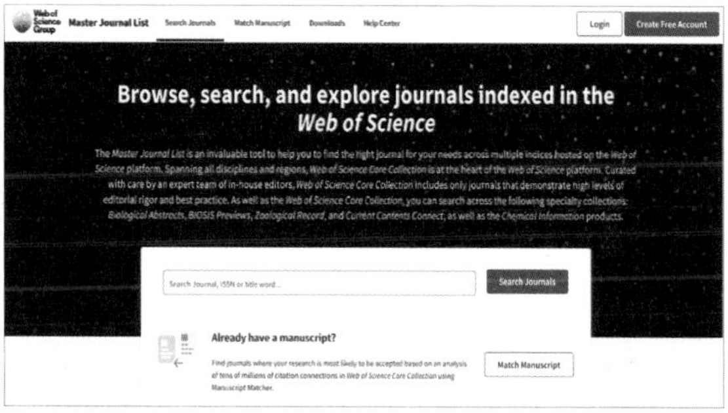

2. 검색창에 찾고 싶은 저널의 이름을 입력 후 검색한다.

3. 해당 저널이 SCIE에 등재된 경우 확인이 가능하다.

Acupuncture in medicine 저널의 경우 SCIE에 등재된 저널임을 확인할 수 있다.

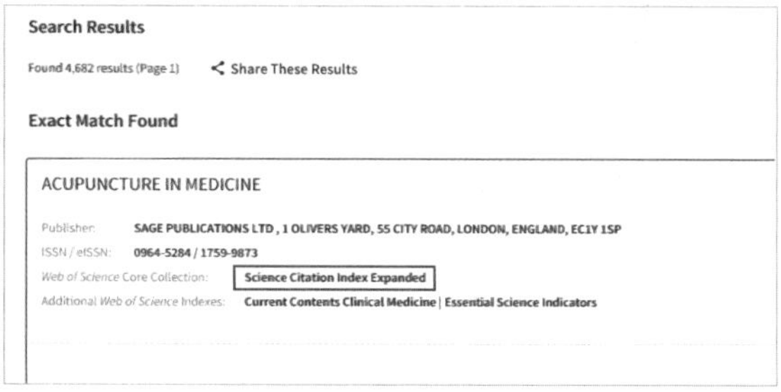

그림 3-1-2. SCIE 등재 저널 여부 확인방법

만일 어떤 저널이 SCIE에 포함되었는지를 알고 싶다면 어떻게 하면 될까? 대학이나 연구소의 도서관에서 Clarivate Analytics의 JCR을 구독하는 경우 도서관 홈페이지를 경유하여 JCR 검색 사이트에서 등재 여부 및 해당 저널의 영향력 지수를 검색할 수 있다. JCR을 구독하고 있지않은 경우에는 Web of Science의 웹페이지를 이용하여 확인할 수 있다(https://mjl.clarivate.com/home). 자세한 방법은 그림을 참조한다(그림 3-1-2).

저널에 출간되는 논문은 형태에 따라서 원저(original article), 리뷰(review), 레터(letter) 등으로 구분되며, 최근에는 임상연구의 결과가 중시되면서 임상시험(clinical trials)과 증례보고(case studies) 등으로 세분화하여 분류하고 있다. 원저는 일반적인 형태의 논문을 의미하는데, 가설을 수립하고 구체적인 연구를 수행하여 그 결과를 보고하는 형식으로, 서론, 방법, 결과, 고찰 및 결론의 구조를 가지고 있다. 리뷰는 기존의 연구결과를 양적 혹은 질적인 방법으로 통합하여 분석, 제시하는 논문을 의미하며, 체계적문헌고찰 등이 이 범주에 포함된다. 저널에 따라서 체계적문헌고찰 등의 리뷰를 원저로 분류하기도 한다. 레터는 저널에 출간된 원저 또는 리뷰의 문제점을 제기하거나 임상 혹은 연구와 관련된 생각들을 짧막하게 발표하는 형식의 논문이다. 저널마다 출간하는 논문의 형태가 다른데, 어떤 저널들은 증례보고만 출간하기도 하고,[5] 코크란의 경우는 체계적문헌고찰만 출간한다. 따라서 논문을 어떤 저널에 투고하고자 할 때에는 해당 저널의 저자 가이드라인(author guideline)을 검토하고, 자신이 투고할 논문의 형식이 어디에 분류되는지, 논문을 준비할 때 필요한 사항이 무엇인지 꼼꼼히 점검하는 것이 필요하다.

요 약

다양한 의학저널들이 현재 출간되고 있다. 의학저널에 논문이 실리는 과정 중 게재여부는 동료심사를 통해 결정되는 것이 일반적이다. 저널에 논문을 투고하기 위해서는 학술지별로 제공되는 저자 가이드라인을 참고하는 것이 필요하다.

주요 의학저널 소개

특수 질환이나 연구와 관련된 전문 저널을 제외하고 가장 영향력있는 3대 의학저널을 꼽을 때 뉴잉글랜드의학저널(NEJM, the New England Journal of Medicine)과 란셋(The Lancet), 미국의사협회지(The Journal of American Medical Association)가 거론된다. 이 3가지 저널은 모두 100년이 넘는 역사를 가지고 있으며, 현대 의학에 중요한 연구들이 이들 저널을 통해 출간되었다. NEJM의 경우 매년 4,500편 이상의 연구 논문이 투고되며 그 중 반은 미국에서, 반은 미국 외 전세계에서 투고하고 있고, 이 중 5% 만 출간된다고 한다.[6]

전통적인 형태의 저널들이 학회지의 형식으로 특정 질병이나 분야를 다루고 있다면, PLOS ONE과 같이 최근에 발간되기 시작한 저널들은 공공기관이나 출판사가 주관하여 다학제의 연구를 수록하고, open access 정책을 통해 일반 대중이 의학논문에 쉽게 접근할 수 있도록 논문을 공개하고 있다. PLOS ONE은 2006년 기존 과학출판의 대안적인 형태로 출발한 open access 저널의 선구자로, 비영리기관인 미국 공공과학도서관(Public Library of Science)에서 엄정한 연구 방법과 윤리에 초점을 맞춘 다학제 우수 연구들을 출간할 목적으로 창간되어 과학 저널의 새로운 장을 열었다고 평가되고 있다(https://journals.plos.org/plosone/).

한의학과 관련된 SCIE 등재 저널에는 2018년 JCR에 포함된 236 종류의 저널 카테고리 중 통합 및 보완의학(integrative & complementary medicine)에 분류된 27종의 저널이 포함된다. 이들의 영향력 지수의 중위수(median)는 1.587이며, 총 3,733건의 논문이 포함되어 있다. 이 카테고리에서 가장 높은 영향력 지수를 가지고 있는 저널은 Phytomedicine (4.180)이며, 다음으로 Journal of Ginseng Research (4.029), American Journal of Chinese Medicine (3.510) 등이 그 뒤를 잇고 있다. 침과 관련된 연구를 주로 출간하는 Acupuncture in Medicine은 영향력 지수 2.637로 6위에 등재되어 있다.[7] 2019년 말에 국내 한의학 저널로서는 처음으로 한국한의학연구원에서 발행하는 Integrative Medicine Research (IMR)이 SCIE에 등재되었다.[8] 또한 대한약침학회에서 발간하는 영문약침학회지(Journal of Pharmacoacupuncture)와 Journal of acupuncture and meridian studies 등이 Emerging Sources Citation Index에 포함되어 있어 SCIE 등재에 도전하고 있다.

국내에는 SCI와 같이 한국연구재단에서 매년 국내 발행 학술지 중 선정, 관리하고 있는 등재학술지목록이 있다. 2019년 기준 의약학 분야의 등재 및 등재 후보 학술지는 총 285종 이며, 한의학분야의 경우, 2016년 한의학연감에 의하면 대한한의학회지를 포함 총 18개의 학회지가 등재학술지로 등재되어 있고, 2개의 학회지가 등재 후보지로 등재되어 있다 (표 3-1-1).[9]

요 약

NEJM과 The Lancet, JAMA 등은 세계 3대 의학저널로 손꼽힌다. open access로 운영되는 PLOS ONE 등은 기존의 학술지와는 다른 형태의 전자저널이다. 한의학과 관련하여 통합 및 보완의 학 범주의 SCIE 리스트에 2018년 기준 27종의 학술지가 등재되어 있다.

표 3-1-1. 한국연구재단의 한의학 분야 등재학술지 목록 [9]

학회지명	발간학회	주요내용
대한한의학회지	대한한의학회	영문,국문, 1963년 창간
대한한방내과학회지	대한한방내과학회	간계, 심계, 비계, 폐계, 신계 내과학 분야
대한침구의학회지	대한침구학회	침구치료에 대한 효과 및 새로운 중재에 대한 평가 연구
한방안이비인후피부과학회지	대한한방안이비인후피부과학회	한방안이비인후피부과의 전문 임상과목을 담당, 1988년 창간
대한한방부인과학회지	대한한방부인과학회	한방부인과 영역의 방제, 침구 치료, 설문 등 연구 다룸, 1987년 창간
대한한방소아과학회지	대한한방소아과학회	소아관련 실험 및 임상연구, 1986년 창간
대한본초학회지	대한본초학회	약재연구, 본초의 배합, 처방 연구 등 다룸
사상체질의학회지	사상체질의학회	체질관련 종설, 문헌 연구, 임상연구, 실험 등 다룸
동의신경정신과학회지	대한한방신경정신과학회	한의정신요법과 관련된 임상연구, 변증도구개발 등을 다룸
한방재활의학과학회 학회지	한방재활의학과학회	재활과 관련된 약리 등 기초 및 임상연구를 다룸
대한한의학방제학회지	대한한의학방제학회	방제의 효능에 대한 동물, 세포 실험 및 임상연구를 다룸
대한약침학회지(Journal of phamacoacupuncture)	대한약침학회	2016년부터 영문학회지로 전환, 주로 임상 논문을 다룸
대한예방한의학회지	대한예방한의학회	역학, 보건관리, 환경 및 산업보건 등을 다룸, 1997년 창간
기타	경락경혈학회지, 대한동의생리병리학회지, 대한한의학원전학회지, 한방비만학회지 등 (이상 등재지), 척추신경추나의학회지, 한국의사학회지 등(이상 후보지)	

약탈적 저널의 문제(predatory journals)

약탈적 저널(predatory journals)이란 출판사에서 open access 정책을 악용하여 논문 출간 비용(article processing charge, APC)을 통해 수익을 창출하는 학술지를 지칭한다. open access는 논문을 출간하는 저자나 스폰서가 출판과 관련된 비용을 내고 출간하여, 사용자가 별도의 비용을 지불하지 않고 연구 성과물을 자유롭게 이용할 수 있는 출간 방침을 말한다. 최근 국내에서도 가짜 학술지에 논문을 게재하거나 혹은 가짜 국제학회에 국내 대학의 교원과 연구자들이 참석하고 있다는 내용의 기사가 사회적으로 큰 반향을 일으켰다.[10] 학술지는 지난 장에서 언급한 대로, 동료심사를 거쳐 정해진 절차에 따라 게재가 결정되며 수준 미달의 연구들은 출판이 거절되는 것이 일반적이다. 그러나 적절한 심사 과정 없이 논문의 출판비나 국제 학회의 참가비를 받을 목적으로 논문 발표의 기회를 제공하는 학술지들이 늘면서 경각심을 가져야 한다는 목소리가 커지고 있는 실정이다.

약탈적 저널이란 용어는 약 10년전 미국의 Jeffrey Beall이 처음 사용하였다. 그는 Nature에 기고한 글에서, 약탈적 저널을 e-mail에 빗대어 설명하고 있다. 곧 e-mail은 저렴한 비용임에도 신속하게 사람들 상호 간에 교류를 증진시킬 수 있는 획기적인 발명품이지만, 스팸메일이 등장하면서 이메일이 주인과는 상관없는 기만적인 메시지들로 넘쳐나고 있으며, 이것이 약탈적 저널의 발생과 그 폐해에 대해 직관적으로 이해할 수 있는 예시라고 언급하고 있다.[11] 약탈적 저널을 출간하는 출판사는 허위 저널과 투고 시스템을 온라인 상에 구축하고 일반적인 저널의 출간 과정 등에 익숙하지 않은 사람들이 쉽게 투고하도록 적극적으로 홍보한다. Beall에 의하면 해당 저널은 미국이나, 영국, 캐나다, 호주 등의 국가에 사무국이 위치하지만 주로 파키스탄이나 인도, 나이지리아 같은 나라의 연구자들이 논문을 많이 출간하고 있다고 한다.[11] 논문을 투고하는 과정에는 게재료 및 출판 비용에 대한 언급이 아예 없고, 투고 규정 등에도 명시되어 있지 않다가, 논문이 게재확정 되면 상당한 출판 비용을 요구한다. 또한 자신의 저널을 홍보할 목적으로 학계의 유명인사들을 자신의 뜻과는 무관하게 에디터로 포함시키기도 한다. 논문이 저널에 출간되고 난 후에 해당 저널이 약탈적 저널이라는 사실을 알게되어 논문을 철회하고 싶지만 연락이 되지 않는 경우도 있다고 한다. 이와 같이 출판사가 연구자들을 속이는 경우도 있지만, 반대로 연구자들이 승진 및 과제의 업적을 달성하기 위해 논문이 필요한 경우에 출판이 쉬운 이러한 저널들을 의도적으로 이용하기도 한다.

약탈적 저널은 어떠한 위험을 가지고 있는가? 충분히 검증되지 않은 연구의 결과가 공공연히 학술지라는 이름으로 출간되면, 일종의 공신력을 가진 자료로 둔갑하게 되고, 이에 대중이 호도될 우려가 있다. 또한 이러한 논문을 출간하기 위해 막대한 비용이 지출되게 되어, 필요한 연구를 수행하기 위해 투입되어야 할 자원을 허비할 수 있다. 스팸메일을 찾아내고 삭제하는데 시간을 들이듯이, 약탈적 저널이 늘어나게 되면, 연구결과를 이용할 때 해당 저널을 신뢰할 수 있는지 검토하기 위해 시간과 노력을 소비해야 한다. 또한 연구자들은 과학적이고 공정한 연구를 수행하기 위해 공을 들이기 보다는, 쉽게 출판하는 길을 선택하게 되며, 이에 따라 학계 연구의 질적 수준 저하를 초래할 소지가 있다.

그렇다면 약탈적 저널에 현혹되지 않기 위해서 어떻게 할 것인가? 논문을 투고하고자 하는 연구자는 선택한 저널이 약탈적 저널인지 먼저 확인하고 투고하도록 주의를 기울여야 한다. 최근 연구에 의하면, 약탈적 저널들은 다음과 같은 특성을 가지고 있다고 한다(표 3-1-2). 이러한 기준 하에, 자신이 투고하고자 하는 저널의 저자규정이나 운영관련 안내 등에서 세부내용을 확인하고, 약탈적 저널일 가능성이 있는지를 먼저 확인하는 것이 필요하다. 또한 'Beall의 약탈적 저널과 출판사 목록'(Beall's list of predatory journals and publishers) 등과 같이 약탈적 저널의 리스트를 제공하는 곳들도 있으니 논문 투고 전에 검토해 보는 것도 도움이 될 수 있다(https://web.archive.org/web/20190204151436/https://beallslist.weebly.com/).

표 3-1-2. **약탈적 저널의 특성(Cobey 2018의 논문에서 발췌함)[12]**

항목	빈번하게 발견되는 특성
저널의 운영	낮은 수준의 투명성과 진실성, 출판사의 연락처가 없거나 혹은 찾기 어려움
수록된 논문	출판된 논문들이 몇몇 국가의 저자들로 한정되어 있음, 수록된 논문의 질이 낮고 인용이 잘 안됨
동료심사 과정	동료심사 과정의 질적 저하와 짧은 동료심사 기간, 편집진이 불분명하거나 있더라도 부적절하게 구성되어 있음
출판사에 대한 인지	e-mail을 통해서 공격적으로 논문을 유치하려고 홍보함
논문게재료	논문게재료가 일반 권위있는 저널들에 비하여 저렴함, 저널에 논문게재료에 대한 내용 및 비용을 명시하지 않음
논문 출판 후 배포, 색인화, 아카이빙	해당 저널은 open access임을 강조함, 저널명이 DOAJ*에서는 검색 가능한 경우가 많음, 저널에 수록된 개별 논문의 색인을 확인할 수 없음

　　약탈적 저널은 과학적 연구의 생태계를 위협하는 존재이므로 논문을 투고하고자 하는 연구자의 경우 해당 저널이 이에 해당되는지 여부를 잘 확인한 후에 투고해야 하며, 쉬운 출판의 유혹에 넘어가지 않도록 주의해야 한다.

---

* 　DOAJ는 Directory of Open Access Journals의 약자로 open access 저널과 논문에 대한 목록을 제공하는 온라인 웹사이트이다(https://doaj.org).

SECTION 02

의학 데이터베이스 및 문헌의 검색

근거중심의학이 현대의 임상의학을 주도하게 될 수 있었던 것은 새로운 임상연구 결과가 폭발적으로 쏟아져 나옴과 동시에, 인터넷을 통하여 연구결과를 담고 있는 논문에 누구나 쉽게 접근할 수 있는 환경이 조성된 것도 중요한 원인 중 하나임은 부인하기 어려울 것이다. 근거중심의학 연구자 뿐만 아니라, 임상의 및 환자 누구든지 의료적인 의사결정을 위해 의학 관련 자료에 접근하기 위하여, 의료정보를 담고 있는 의학 데이터베이스에 접근하는 것이 가장 정확하고 빠른 길이다. 이 SECTION에서는 현재 가장 많이 활용되고 있는 의학 데이터베이스인 MEDLINE과 Embase, Cochrane library에 대하여 알아보고, 임상연구를 등록하는 레지스트리(registry)와 요약된 근거를 제공해주는 온라인 요약 근거 제공 서비스(예로 Dynamed) 등에 대해서 소개한다. 또한 국내의 의학자료를 검색할 수 있는 국내 데이터베이스와 진료지침을 담고 있는 임상진료지침정보센터 및 국가한의임상정보센터 등에 대하여 소개한다.

핵심 의학 데이터베이스(core medical databases)

임상연구(일반적으로는 무작위대조군연구) 결과를 이용하여 분석하는 코크란 체계적문 헌고찰을 시행할 때는 일반적으로 MEDLINE과 Embase 및 Cochrane library에 수록된 The Cochrane Central Register of Controlled Trials (CENTRAL) 등의 데이터베이스 검색 을 필수적으로 요구하고 있다. 그 이유는 대부분의 임상연구가 이들 데이터베이스의 복수 검색을 통해 찾을 수 있기 때문이다. 설령 이들 데이터베이스에 검색되지 않는 연구가 분석 에 추가된다고 할지라도, 메타분석의 결과값이 바뀌지 않는다는 경험적 근거에 바탕을 두고 최소 언급된 3개의 데이터베이스는 반드시 검색하라고 권고하고 있다.[13] 이들 데이터베이스 는 연구를 위해 필수적으로 이용해야 할 뿐만 아니라, 임상의들이 최신 연구결과와 의학 자 료를 검색하는 데도 유용하다.

먼저 MEDLINE은 미국국립의학도서관에서 운영하는 데이터베이스로 생의학(biomedi-cine)에 특화되어 있다. 1946년 이후로 생명과학 및 의학논문들을 지속적으로 업데이트 하 여 현재 5,200여종의 저널들로부터 30,000,000건의 논문관련 서지정보를(2019년 11월 기준) 보유하고 있다.[14] MEDLINE은 서지 정보를 담고 있는 데이터베이스이며, 이 정보를 이용하 기 위해서는 별도의 검색을 위한 플랫폼을 이용해야 한다. 그 중 미국국립의학도서관의 국 립생체기술정보센터(National center for biotechnology information)에서 운용하는 PubMed 는 가장 많이 알려진 무료 플랫폼이다(https://www.ncbi.nlm.nih.gov/pubmed/). PubMed외 에도 EBSCO, Ovid, ProQuest 등의 플랫폼에서도 MEDLINE의 자료를 이용할 수 있지만, 유료로만 활용 가능하고, 의학 연구를 시행하는 학교나 병원 혹은 연구소가 구독료를 지불 한 경우에 한하여, 해당 기관 안에서만 접속이 가능하다. 따라서 이와 같은 특정 경로를 통 해 MEDLINE을 검색하고자 하는 경우에는 자신이 속한 기관의 도서관에 문의해 보는 것이 좋다.[13] PubMed에서는 문헌들을 분류하여 색인화하기 위해, MeSH (Medical Subject Head-ings, 의학 주제 표제어)라고 이름을 붙인 계통적인 어휘 동의어체계(thesaurus)를 이용한다. 또한 키워드를 이용한 단순 검색 뿐 아니라 복잡한 검색식이나 불리언 연산자(AND 나 OR

등)를 활용하여 자신이 원하는 자료를 효율적으로 검색 가능하게 한다. 더불어 검색이 재현 가능하도록 지원하며, 일부의 서지정보에는 원문 링크를 제공해 효율적으로 원문에 접근할 수 있도록 운영하고 있다.

그 다음으로 Embase에 대해서 소개한다. Embase는 Elsevier 출판사에서 운영하는 질병 및 약품 관련 문헌 정보 데이터베이스로, 1974년부터 지속적으로 자료를 축적하고 있다. Embase에는 MEDLINE에 수록되어 있지 않아서, Embase를 통해서만 찾을 수 있는 유럽에 근거지를 두고 출판하는 일부 저널들과 약품 관련 자료를 수록하고 있다. 이런 이유로 모든 관련 문헌을 포괄적으로 검색해야 하는 체계적문헌고찰을 시행할 때 필수적으로 검토하여야 하는 핵심 의학 데이터베이스의 한 가지로 Embase를 포함시키고 있다. Embase는 PubMed에서 MeSH를 활용하여 문헌을 색인화하는 것처럼 Emtree라는 어휘 동의어체계를 이용하여 문헌을 분류하고 있다. 특히 질병 뿐만 아니라 약물(화학명, 성분명 포함) 및 화학 물질 정보가 Embase안에 추가되어 있어 약물에 특화된 정보를 검색하는데 유용하다. Embase는 유료로 구독해야 하며, 개인 사용자가 비용을 지불하고 이용하거나 기관에서 구독하는 경우 자료를 이용할 수 있다.[15]

코크란 라이브러리(Cochrane library, https://www.cochranelibrary.com)는 코크란 연합(Cochrane collaboration)에서 운영하는 의료, 보건 관련 데이터베이스로, 코크란 리뷰 그룹에서 출간하는 코크란 체계적문헌고찰(The Cochrane Database of Systematic Reviews)과 리뷰 프로토콜, 코크란 연합에서 수집하여 보유하고 있는 임상연구와 관련하여 출판되거나 출판되지 않은 서지 자료들(The Cochrane Central Register of Controlled Trials, CEN-TRAL), 코크란 리뷰를 읽기 쉽게 요약하여 임상과 관련된 의사결정에 활용하는데 도움을 주기 위해 작성된 코크란 임상 답안(Cochrane Clinical Answers) 등의 자료를 제공한다. 코크란 라이브러리에서 제공하는 자료 중 초록과 쉬운말 요약 등의 자료는 무료로 제공되지만, 원문의 경우 국내에서는 무료로 제공되지 않으며, 기관에서 구독하는 경우 이용할 수 있다.

코크란 연합은 신뢰할만한 근거, 정보에 입각한 의사결정, 더 나은 건강(Trusted evidence. Informed decisions. Better health.)이라는 구호 하에 활동하고 있다. 근거중심의학적인 관점에서 합리적인 근거에 의거한 의료적 의사결정을 내리는데 도움을 주기 위하여, 전 세계 연구자들의 무보수 자원봉사로 엄격한 연구방법론에 입각해 체계적문헌고찰을 수행하고, 그 내용을 코크란 라이브러리를 통해 출판한다. 이를 통해 근거중심의학을 활용하여 인류에 더 나은 의료가 구현될 수 있도록 활동한다.[16] 이러한 취지에서 현재 통용되는 의학적 치료의 유효성 근거나 진단법에 대한 근거를 확인하기 위해서 가장 먼저 확인해 볼 만한 데이터베이스임을 기억하는 것이 좋다.

MEDLINE과 Embase 및 Cochrane library에 수록된 CENTRAL database를 핵심 의학 데이터베이스로 부르며, 체계적문헌고찰을 시작할 때 필수적으로 검색하도록 권장하고 있다. 연구에 대한 최신 동향을 파악하기 위해 이들 데이터베이스를 적극 활용하는 것이 필요하다.

임상연구 레지스트리(clinical trial registry)

임상연구 레지스트리는 현재 진행 중 혹은 이미 완료된 **임상연구의 개요**(연구계획, 연구기관 및 연구자, 대상자의 선정제외기준, 중재, 평가방법 등)를 검색할 수 있는 공식적인 플랫폼이다. 임상연구 레지스트리에 일단 연구가 등록되게 되면, 중간에 연구계획이 바뀌는 경우에는 레지스트리 내용을 수정해야 하며, 그러한 이력들이 남아있게 되기 때문에 혹시 연구결과를 일부러 숨기고 출간하지 않는 일 등을 미연에 방지할 수 있다.

임상연구 레지스트리의 필요성이 왜 대두되게 되었을까? 가장 중요한 이유는 연구의 결과가 발표되지 않는 것이 심각한 문제를 야기할 수 있기 때문일 것이다. 근거중심의학에서 가장 중요한 근거로 받아들여지고 있는 것이 체계적문헌고찰과 메타분석이다. 만일 어떤 연구의 결과가 부정적(신약의 효과가 위약과 비교했을 때 차이가 없는 경우)이어서, 개발한 제약사나 연구자들이 임의로 연구결과를 발표하지 않는다면, 메타분석을 시행하게 될 때에 효과가 있는 연구들만 포함될 가능성이 높아지며, 그럴 경우 실제 효과 크기보다 큰 효과추정치가 제시될 수 있다. 이런 경우 출판비뚤림(publication bias)의 위험이 있다고 할 수 있다. 그런데 **임상연구 레지스트리를 통해 연구가 등록된 경우에는 연구가 이미 진행되었다는 것을 누구나 확인할 수 있기 때문에**, 연구결과가 검색되지 않는 연구의 존재여부를 확인할 수 있다. 따라서 이미 등록이 된 연구가 상당한 시간이 경과했음에도 출간되지 않을 경우, 해당 임상연구를 수행한 연구자나 의뢰자에게 직접 연락하여 자료를 받을 수 있기 때문에 출판비뚤림을 방지할 수 있다.

일반적으로 임상연구 레지스트리에는 연구대상자의 모집 전 연구관련 정보를 등록하여 공개하도록 하고 있다. 특히 2005년에 국제의학저널편집장회의(ICMJE)에서 임상연구 논문의 경우 사전에 등록된 정보를 제공해야 출판 여부를 고려할 수 있다고 결의한 이후로, 임상연구의 사전등록이 전 세계적으로 장려되는 추세이다.[17] 임상연구 레지스트리는 체계적문헌고찰을 시행하는 연구자들에게는 현재 진행 중인 혹은 완료된 임상연구의 정보를 얻을 수 있게 해주며, 질병을 가진 환자들에게는 현재 어떤 임상시험이 진행되고 있으며, 참여를 위해서 누구와 어떻게 접촉해야 하는지에 대한 정보를 검색할 수 있게 해준다. 또한 임상연구 레지스트리에 등록된 정보들은 임상연구를 계획하거나 수행하는데 필수적인 요소들이기 때문에, 새롭게 임상연구를 기획하고자 하는 연구자들에게 임상연구의 구조와 구체적인 방법에 대한 전체적인 그림을 그리는데 요긴한 자료가 된다.

임상연구 레지스트리는 미국의 ClinicalTrials.gov (https://clinicaltrials.gov)와 영국의 ISRCTN Registry (https://www.isrctn.com), 국내의 CRIS (https://cris.nih.go.kr/cris/index.jsp)와 같이 세계 각국에서 구축하여 운영하며, WHO에서는 국제임상시험등록플랫폼 (International Clinical Trials Registry Platform, ICTRP)을 구축하여 전세계 임상연구 레지스트리에서 임상연구 정보를 정기적으로 전달받아 한 번에 검색할 수 있도록 지원하고 있다 (https://www.who.int/ictrp/network/en/).

요 약

임상연구 레지스트리는 임상연구의 출판비뚤림을 방지하는 기능이 있다. 어떤 종류의 임상연구가 진행되고 있거나 완료되었는지에 대한 정보가 궁금할 때 임상연구 레지스트리를 검색하면 도움을 얻을 수 있다.

국내의 의학 데이터베이스

한국보건의료연구원(NECA)에서는 국내의 의학 문헌검색을 포함하는 체계적문헌고찰을 시행하는 경우, 다음의 5개 데이터베이스를 검색하도록 권장하고 있다. 곧 대한의학술지편집인협의회에서 운영하는 KoreaMed (http://www.koreamed.org), 의학연구정보센터에서 운영하는 한국의학논문데이터베이스(http://kmbase.medric.or.kr), 한국학술정보에서 운영하는 한국학술정보(http://kiss.kstudy.com), 한국과학기술정보연구원에서 운영하는 과학기술정보통합서비스(http://www.ndsl.kr), 그리고 한국과학기술정보연구원에서 운영하는 과학기술학회마을(http://society.kisti.re.kr) 등이 국내의 핵심 검색 데이터베이스에 해당된다.[18]

국내 의학 데이터베이스는 국문 인터페이스로 운영되고 있어, 이용이 용이하며, 국내 문헌에 특화되어, 국내에서 발간된 출판물을 검색할 때는 유용하다. 하지만 몇가지 문제점도 있다. 첫 번째는 PubMed나 Embase에서 지원하는 검색식을 이용한 검색이 매우 제한적이므로, 단어나 키워드를 하나씩 넣어서 검색해야 하는 단순 검색만을 지원한다는 점이다. 두 번째는 MeSH 등 동의어체계에 대한 정보를 얻을 수 없어서, 소모적인 검색을 반복해야 한다는 점이다. 또한 일반적으로 기관과의 협약을 통해 원문을 제공하고 있는 경우가 많아, 기관에 소속되지 않은 일반인의 경우에는 원문의 이용에 제한이 있다는 점이다.

최근에는 검색기능이 강화된 NAVER 학술정보(https://academic.naver.com)나 유료로 운영되는 DBPIA (https://www.dbpia.co.kr), 스콜라(학지사, 교보문고, http://scholar.dkyobobook.co.kr/main.laf) 등을 통해 필요한 국내의 논문들을 검색할 수도 있다. 한의학과 특화된 문헌을 검색하고자 하는 경우에는 한국한의학연구원에서 운영하는 OASIS (https://oasis.kiom.re.kr) 웹이나 특허청에서 운영하는 한국전통지식포탈(http://www.koreantk.com/ktkp2014/) 등을 이용할 수 있다. 이 외에도 학위논문의 검색이 필요한 경우 Research Information Sharing Service (RISS, http://www.riss4u.net/AboutRiss.do) 등을 이용할 수 있다.

국내에도 다수의 의학 문헌 검색이 가능한 데이터베이스가 운영되고 있다. 향후 검색기능이 향상된 통합 의학 문헌 검색 데이터베이스가 출범되어 연구에 활용될 수 있도록 해야 한다.

임상진료지침정보센터 및 국가한의임상정보포털

임상진료지침은 PART 01에서 다루었던 대로 치료 중재나 진단 등에 대한 의학적 의사결정의 권고문을 담고 있는 문서이다. 지침은 임상의의 관점에서 치료나 진단을 선택할 때 참고할 수 있는 자료가 됨과 동시에, 국가차원에서는 의료 질 관리를 위한 최소한의 기준으로 활용 가능하기 때문에, 학회 주도로 혹은 국가에서 비용을 부담하여 개발하고 보급한다. 국내에서도 다양한 분야의 임상진료지침들이 새롭게 개발되거나 외국의 지침을 수용하고 있으며, 그 중 일부는 임상진료지침정보센터(https://www.guideline.or.kr)에 수록되어 검색 및 활용 가능하도록 공개되어 있다. 한의학계에서 개발한 임상진료지침의 경우 국가한의임상정보포털(https://nikom.or.kr/nckm/index.do)을 통해 공개되고 있다.

진료지침을 검색하려면 임상진료지침정보센터나 국가한의임상정보포털을 활용한다.

대학 등의 기관 도서관 웹의 이용

Open access를 제공하는 저널들 외에, 구독해야 하는 대부분의 저널의 경우, 개별 출판사 또는 논문의 검색과 원문을 제공하는 회사로부터 접근 권한을 구입해서 원문을 이용해야 한다. 하지만 연구자 개인이나 의료정보가 필요한 일반인이 매번 논문을 구입하여 활용하는 것은 현실적으로 불가능하다. 따라서 학교나 병원의 도서관이나 연구기관의 도서관 혹은 국립의과학지식센터(http://library.nih.go.kr/ncmiklib/index/index.do)와 같이 공공기관에서 운영하는 도서관 등 기관 차원에서 원문을 제공하는 회사와 계약을 통해 원문에 접근할 수 있는 방법을 활용하는 것이 도움이 된다. 각 기관의 도서관 홈페이지에 접속하면 전자저널(E-journals) 배너를 통해 찾고자 하는 저널웹에 접속한 후 PDF 파일을 다운로드 받거나, 웹 데이터베이스(web database)라는 외부 데이터베이스의 링크를 통해 저널의 원문을 다운로드 받을 수 있다. 또한 각 기관의 도서관 사서는 별도의 소스를 통해 원문을 구하거나 필요한 경우 해당 저널에 논문 구매 신청을 대행해주는 업무를 담당하고 있으므로, 필요한 논문이 있을 경우 도서관 사서와 상의해 보도록 한다. 대학 또는 기관의 도서관에서는 문헌의 검색과 연구방법론 및 도서관 활용에 관련된 강좌를 정기, 비정기적으로 운영하고 있으므로 자신이 속한 기관의 도서관과 친해지도록 노력하자.

요 약

도서관을 활용하면 원문에 쉽게 접근할 수 있는 경우가 많다. 자신이 속해있는 기관의 도서관 사서에게 의학 연구의 원문 찾는 법에 대해서 문의하고, 필요한 논문의 원문을 요청해보자.

온라인 요약 근거 제공 서비스(online medical texts)

근거중심의학의 모토 중 하나는 업데이트된 최선의 근거를 바탕으로 의료와 관련된 의사결정을 내려야 한다는 점이다. 그러기 위해서 임상의에게 필요한 자질은 최신, 최선의 근거를 찾아내고, 그것이 적절한 것인지 평가하여 임상에 적용할 수 있는 능력을 갖추는 것이다. 그러나 임상의는 매일매일 바쁜 진료 스케줄에 쫓기고 있다. 그렇기 때문에 질병에 대한 모든 이슈들과 자신이 사용하는 치료 중재의 유효성과 안전성을 다루고 있는 임상연구 및 질병역학적 연구들의 정보를 임상의 직접 찾고 요약하거나 평가하는 것은 매우 어려운 일이다. 따라서 해당 분야의 전문가들이 다양한 질병을 둘러싸고 있는 여러가지 임상질문들에 대하여 정기적으로 검색하고, 해당 내용을 요약하며, 최신 정보를 업데이트하고, 이 내용의 신뢰도와 타당성을 평가하여 제공해주는 서비스가 있다면 임상에서 큰 도움을 받을 수 있을 것이다.

이러한 요구에 부응하여 인터넷 상에서 업데이트된 임상 근거를 제공해주는 온라인 요약 근거 제공 서비스(online medical texts)들이 운영 중이며 현재 DynaMed (https://www.dynamed.com), Uptodate (https://www.uptodate.com/home), Clinical evidence (https://www.bmj.com/specialties/clinical-evidence) 등의 서비스가 전세계적으로 많이 구독되고 있다. 비록 이러한 서비스를 통해 편리하게 임상에서의 궁금증을 해결할 수 있지만 각 데이터베이스의 질이나 주제의 포괄 범위, 업데이트의 주기 등에 있어서 각 사이트 정보의 신뢰성에 대한 논란이 있기 때문에, 주체적인 판단 없이 어느 하나의 데이터베이스에서 제공하는 정보에만 의존하여 무비판적으로 의사결정을 내리는 것은 바람직하지 않다.[19] 여기서는 대표적인 온라인 의학 요약 근거 제공 서비스 중 한 곳인 DynaMed를 소개한다.

DynaMed는 EBSCO라는 전자저널을 포함한 연구 데이터베이스를 운영하는 회사의 의료 정보 요약 제공 서비스로 임상에서 필요로 하는 진단, 투약정보, 치료 등에 대한 요약된 근거를 제공하고 있다. 특정 질병이나 증후 등을 검색하게 되면 해당 질병 개요(overview)와 임상 권고(recommendation)모음을 제공하고, 세부적인 역학 정보나 병리적 원인과 위험인자, 진단 및 치료, 예후, 질병의 예방과 스크리닝 방법 등 의료인을 위한 정보와 환자 제공 정보 등의 내용을 참고문헌과 같이 제공하고 있다. 그 덕분에 임상의들이 궁금한 사항에 대한 최신 지식에 쉽고 빠르게 접근할 수 있도록 지원하고 있다. 특히 임상 권고 모음 부분에서는 근거수준과 권고등급 등을 결정하기 위하여 GRADE 방법론을 적용하고 있어서, 근거의 신뢰성을 가늠하기 편리하게 구성되어 있다. 최신 업데이트 된 정보가 잘 요약되어 있기 때문에 많은 사람들이 이용하고 있으나, 유료 구독 또는 기관에서 구독하는 경우에만 접속이 가능하다(https://www.dynamed.com).

요 약

온라인 요약 근거 제공서비스를 이용하면 최신 업데이트된 의학정보들을 쉽게 이용할 수 있다.

03

비평적평가

    SECTION 02에서는 임상 근거를 검색하기 위한 데이터베이스를 다루었다. 이제 우리에게 남은 것은 찾은 근거(논문)가 당면한 임상 문제를 해결하기 위하여 활용하기에 적절한 것인지 아닌지 판단하는 것이다. PART 01에서 언급하였던 대로, 모든 종류의 근거가 지니는 가치는 동일하지 않고 위계를 가지며, 동일한 연구설계를 통해 구축된 근거라고 할지라도 해당 근거를 도출하는 과정에서 비뚤림위험의 개입으로 인하여 각 근거의 신뢰도가 달라지게 된다. 임상의로서 최신, 최선의 근거를 검색할 수 있는 단계에 그치는 것이 아니라, 찾은 근거가 내가 당면한 문제를 해결하는데 타당한 것인지를 주체적으로 판단할 수 있는 능력을 갖추었을 때 비로소 근거중심의학에 입각한 근거중심의료가 가능해진다. 이 장에서는 근거의 타당성에 대하여 검토하는 방법인 비평적평가(critical appraisal)의 개요에 대해서 다룬다.

    비평적평가를 어떻게 정의할 수 있을까? 근거중심의학의 교육과 보급에 선도적인 역할을 담당하는 그룹 중 하나인 옥스포드(Oxford) 대학의 근거중심의학센터(The Center for Evidence-Based Medicine, CEBM)에서는 비평적평가에 대하여 "임상연구를 담고 있는 논문에 대하여 체계적으로 평가하는 것"으로 정의하고, 해당 연구가 분명하게 집중된 임상질문에 대하여 다루고 있는지, 해당 질문을 해결하기 위하여 유효한 방법을 사용하고 있는지, 해당 연구의 결과들이 중요한지, 이 연구결과가 나에게 내원한 환자 및 내가 치료하는 인구집단에 적용가능한지 등에 대하여 구체적인 답을 얻기 위해 비평적평가를 수행한다고 규정하고 있다.[20] 곧 비평적평가는 임상적인 문제를 해결하기 위해 수집한 자료가 내가 필요로 하는 자료인지 확인하고, 해당 연구의 결과를 얼마나 신뢰할 수 있는지 점검하며, 나의 임상현장에 적용이 가능한 것인지 판단하는 과정이라고 생각할 수 있다. 좁은 분야라고 할지라도 수많은 연구논문들이 매일매일 쏟아져 나오는 현실을 고려하였을 때, 옥석을 가리고, 나에게 꼭 맞는, 신뢰할 수 있는 자료인지 검토하는 과정이 바로 비평적평가라고 이해할 수 있다.

그러면 비평적평가를 위하여 어떤 항목들을 살펴볼 것인가. 첫 번째 검토해야 할 항목은 우리가 어떤 형식의 자료를 찾을 것인지 아니면 찾은 자료가 어떤 연구로부터 얻어진 것인지를 확인하는 것이다. 근거중심의학의 기본적인 전제 중 하나는 근거들 사이에 위계가 있다는 점이다. 어떠한 중재에 대하여 여러 편의 증례보고에서 한 목소리로 유효하다고 언급하고 있을지라도, 충분한 대상자를 포함한 잘 수행된 무작위대조군연구 결과 유효성을 입증하지 못한다면, 해당 중재의 임상적 효과에 대하여 확실한 결론을 내리기 어려울 것이다. 따라서 내가 가진 임상적 궁금증에 대한 해답을 찾기 위해서는 우선적으로 근거중심의학의 위계 상 가장 높은 단계에 위치하는 체계적문헌고찰과 메타분석을 찾아보고, 만일 없을 경우에는 무작위대조군연구를 찾아보고, 그것도 없을 경우에는 환자대조군연구나 코호트연구 등의 관찰연구 결과를 검색하며, 이러한 근거조차 없는 경우에는 증례보고나 전문가의 의견, 실험 연구 순으로 연구결과를 검색해야 할 것이다. 그리고 연구설계에 따라서 근거의 확실성이 다름을 이해해야 한다. 증례보고나 관찰연구의 결과 제시된 내용이 체계적문헌고찰보다 더 신뢰할 수 있는 정보라고 생각해서는 안 되고, 유효할 가능성이 있는지를 살펴보는 수준에서 해당 문헌의 내용을 받아들여야 하며, 논문으로 발표된 내용이라고 해서 확실하고 변하지 않는 근거를 가지고 있다고 생각해서는 안된다.

임상질문에 대한 답을 제시해줄 수 있는 연구를 찾아내었을 경우 다음으로 검토할 사항은 해당 연구결과를 얼마나 신뢰할 수 있는지 여부를 점검하는 것이다. CEBM에서는 체계적문헌고찰의 타당도를 평가하기 위하여 점검해야 할 항목들로 다음과 같은 사항들을 언급하고 있다.

1. 체계적문헌고찰 안에 중요한 연구들이 빠짐없이 포함되었는가? 빠짐없이 문헌을 찾기 위해 복수의 데이터베이스(MEDLINE, Cochrane library, Embase 등)를 체계적인 검색 방법을 이용하여 검색하였으며, 문헌의 선택 과정 등이 합리적으로 수행되었는지 점검해야 한다.

2. 적절하게 수행된 임상연구들이 체계적문헌고찰에 포함되었는가? 만일 무작위대조군연구들이 체계적문헌고찰에 포함되었다면, 포함된 연구들에서 무작위배정, 눈가림, 중도탈락의 군간 차이, 일부의 결과만 보고 등 항목에서 비뚤림위험이 있는지 개별 연구에 대한 질평가가 수행되었으며, 그 결과 포함된 개별 연구들을 신뢰할 수 있는지 점검해야 한다.[21]

무작위대조군연구의 경우 해당 연구의 타당도를 평가하기 위해서, CEBM에서는 다음의 항목을 점검하도록 하고 있다.

1. 대상자들을 무작위로 배정하고 있는가? 무작위배정을 위하여 무작위배정순서의 생성과 배정을 은닉하는 방법 등이 명확히 기술되어 있는가 확인해야 한다.

2. 치료를 시작하기 전 두 군을 무작위로 배정하고 나서 두 군 사이 주요한 요인(나이, 성별, 위험인자 등)들 사이에 차이가 없는가? 일반적으로 무작위대조군연구를 다룬 논문의 첫 번째 표(table 1)는 연구대상자들의 기초 특성(baseline characteristics)에 대한 내용으로 각 군간 주요 인자들 및 증상이나 설문의 치료 전 점수가 기입되어 있으며, 이들 기초 특성들이 두 군 사이에 두드러진 차이가 없는지 확인해야 한다.

3. 치료군과 대조군에게 각각 제공되는 중재 외에 두 군에게 다르게 제공되는 치료가 있는가? 치료의 효과를 공정하게 비교하기 위해서는 배정된 중재 외에 두 군 사이에 제공되는 치료의 차이는 없는지 확인해야 한다.

4. 치료와 평가를 진행하는 중간에 탈락된 사람의 수와 중도 탈락의 이유가 군간에 차이가 있는가? 또한 처음에 배정된 사람들을 누락없이 분석하고 있는가? 일반적으로 연구에서 탈락되는 이유는 치료 중 발생한 부작용과 같이 부정적인 요인에 기인하는 경우가 많기 때문에 치료군 또는 대조군 어느 한 쪽에서 탈락이 많다면 배정된 군에 효과가 좋거나 순응도가 좋은 대상자만 남아있다고 생각할 수 있으며, 이로 인하여 해당 군의 효과가 과대추정되는 결과를 초래할 수 있다. 또한 통계분석시 중도 탈락한 사람의 자료를 배제한다면 동일한 이유로 인하여 효과에 대한 추정치를 신뢰할 수 없게 되기 때문에 처음에 무작위배정된 대상자의 수와 통계분석에 포함된 대상자의 수가 동일한지 확인해야 한다.

5. 대상자와 치료자에 대한 눈가림이 적절하게 실시되었는가? 통증에 대한 시각상사척도(VAS)처럼 주관적인 평가지표의 경우, 현재 통용되는 치료를 받는 경우와 거짓 치료 혹은 치료를 받지 않는 사람을 비교하면, 통상 치료에 참여한 사람이 현저한 호전을 보이는 경우가 많다. 곧 대상자가 실제 치료를 받고 있는지 아닌지 눈가림이 되지 않은 경우 비뚤림이 야기될 수 있다. 이를 방지하기 위해 대상자와 치료자 그리고 결과 평가자들에게 적절한 눈가림이 실시되었는지 확인하는 것이 필요하다.[22]

지금까지 연구의 방법에 대하여 살펴보았다면, 다음으로 검토해야 할 항목은 해당 연구의 결과이다. 우리가 논문을 검색하고, 비평적평가를 하는 이유는 알고자 하는 어떤 중재가 대조군의 중재보다 얼마나 더 효과적인지, 또한 부작용은 얼마나 심각한지 등을 파악하여, 해당 중재를 사용할 것인지 말 것인지를 결정하기 위함이다. 이전에는 무작위대조군연구의 결과를 도시할 때, 각 건강결과에 대한 치료군과 대조군의 군간 비교를 위해 통계분석하고, 정한 p값 이하인 경우 두 군 사이의 효과의 차이가 없다는 귀무가설을 기각하고 치료군의 중재가 더 효과가 있을 것이다라든지 더 안전할 것이다라고 결론을 내리는 통계적 검정결과에 의하여 유효성 등을 평가하였다. 하지만 임상시험의 결과를 보고하는 가이드라인인 CONSORT 2010 지침에는 연구결과를 도시할 때 p값 대신에 각각의 건강결과에 대하여 추정된 효과크기(estimated effect size)와 95% 신뢰구간을 제시하도록 권고하고 있다(PART 02, SECTION 06 '임상연구 결과의 보고' 참고). 따라서 단순히 군간 차이가 있는지 없는지를 확인하는 것을 넘어서 실제 군간에 효과의 차이가 얼마나 나며, 그 값이 어느 범위에 위치하고 있는지에 대한 구체적 정보를 얻을 수 있게 되었다. 무작위대조군연구의 결과와 마찬가지로 체계적문헌고찰의 결과 제시된 메타분석은 포함된 임상연구로부터 통합된 요약효과추정치와 95% 신뢰구간을 제시하고 있으며, 이에 대한 해석은 다음 SECTION '임상시험통계 및 메타분석의 이해'에서 다룬다. 연구의 결과를 확인할 때에는 군간 효과의 크기와 신뢰구간 등을 모두 검토하는 것이 필요하다.

이제 비평적평가의 마지막 단계이다. 내가 알고자 하는 중재를 다루고 있는 체계적문헌고찰이나 무작위대조군연구를 찾았고, 해당 연구에 치명적인 비뚤림위험이 발견되지 않았으며, 대조군에 비해 상당한 수준의 효과와 안전성이 확인되었다고 한다면, 이제 그 중재를 내가 진료하고 있는 환자에게 바로 사용해도 되는 것인가? 이 단계에서 검토해야 할 부분이 바로 해당 근거의 적용가능성(applicability)이다. 예를 들어 파킨슨병 환자들의 운동기능 향상 및 우울증 등을 방지하기 위하여 유럽이나 남미의 국가들에서는 무용치료(dance therapy)가 활용되고 있다는 내용의 신문기사를 확인하였다고 가정해보자.[23] PubMed 검색을 통해 무용치료의 효과를 다루고 있는 체계적문헌고찰을 찾았고, 내용을 검토한 결과 무용치료가 파킨슨병 환자의 운동기능 향상에 도움이 된다는 근거를 확인하였다.[24] 그런데 진료실에 내원한 파킨슨병 환자에게 무용치료를 권유할 요량으로 국내에서 무용치료를 실시하는 기관을 검색했으나, 환자의 거주지 주변에는 적절한 기관이 없다. 또한 메타분석에 포함된 연구들에서는 주로 경증 환자들만이 포함되었는데, 내가 진료하는 환자는 중증의 운동기능장애가 있는 상황이라면 의사로서 무용치료를 권하는 것이 적절한가? 아무리 임상적으로 근거가 확실한 상황이라고 할지라도, **현재 내가 진료하고 있는 환자가 처한 상황과 진료환경을 고려하였을 때 적용이 힘들다면 해당 중재를 사용하는 것은 불가능할 것이다.** 적용가능성을 검토하기 위하여 CEBM에서는 3가지 항목을 살펴보라고 권고하고 있다. 첫 번째는 내가 찾은 연구에 포함된 환자군이 내가 진료하는 환자와 얼마나 유사한지 확인해야 한다. 두 번째는 현재 내가 진료하는 환경에 해당 중재의 적용이 가능하며, 적절한지 판단해야 한다. 세 번째는 내 환자에게 해당 중재를 적용한다고 가정하였을 때 치료를 통해 얻을 수 있는 잠재적인 이득이 비용과 발생 가능한 위해를 뛰어 넘을 정도로 가치있는 것인가를 고려해야 한다.[22] 근거중심의학과 근거중심의료는 존재하는 임상 근거를 기계적으로 적용하는데 그치지 않고, 연구 논문의 비평적평가를 통해 합리적으로 활용할 때 완성되는 것임을 이해하는 것이 필요하다.

요 약

    비평적평가는 검색하여 찾은 자료(논문)가 어떤 연구설계에 따라 수행된 것인지, 관심있는 임상 질문에 대하여 다루고 있는지, 연구방법은 적절한지, 어떤 결과를 제시하는지, 해당 결과는 신뢰할 만한지, 현재 나와 나의 환자가 처한 상황에 적용가능한 지 등을 판단하는 과정으로 생각해 볼 수 있다.

임상연구와 관련된 통계와 메타분석의 이해

임상연구 통계의 기본 전제

일반적으로 통계학이란 연구에서 어떤 문제를 해결하기 위하여 적절하게 정보를 수집하고 수학적 방법을 이용하여 해답을 구하는 과정을 연구하는 분야라고 정의한다.[25] 임상연구에서는 수집한 자료의 통계적 분석을 통해 평가하려는 중재의 유효성과 안전성에 대한 해답을 제공하므로, 연구결과를 이해하기 위하여 사용된 통계적 방법의 적절성을 평가하고, 통계의 의미를 해석하는 것은 매우 중요한 일이라고 할 수 있다. 이 SECTION에서는 임상연구에서 다루는 통계의 기본적인 내용에 대해 이해하고, 메타분석의 해석에 대하여 간략하게 다룬다.

1) 가설의 설정

의학연구 뿐 아니라 어떠한 연구를 수행하더라도 첫 단계는 당면한 문제를 해결 가능한 형태로 적절하게 정의하는 것부터 시작된다. 연구에서 정의한 문제를 가설(hypothesis)이라고 하고, 통계적 추측을 수행하는 방법을 가설검정(test of hypothesis)이라고 한다. 연구를 통해 알고자 하는 중재의 효과나 질병의 유병률 등은 해당되는 인구집단 전체(모집단)를 대상으로 하지만, 현실적으로 대상 집단의 모든 사람을 포함하여 연구를 수행하는 것은 불가능하므로, 소수의 표본을 대상으로 연구를 수행하고, 거기서 얻은 정보를 바탕으로 가설이 타당한지를 검토하게 된다.

만일 새로운 형태의 혈압약을 개발한 후, 고혈압 환자를 대상으로 위약과 비교하여 혈압약의 유효성을 검증하고자 하는 임상시험을 계획한다고 가정해보자. 이 때 우리가 밝히고자 하는 것은 새로 개발한 혈압약의 혈압강하효과가 위약과 다르다(혹은 위약에 비해 우수하다)는 것이다. 이것을 어떻게 밝혀낼 수 있을까? 임상시험에서는 대립가설(alternative hypothesis), 곧 혈압약과 위약의 혈압강하효과는 다르다는 것을 검증하기 위한 가설과 귀무가설(영가설, null hypothesis), 즉 혈압약과 위약의 혈압강하효과는 같다라는 가상의 가설을 수립하고 실험을 수행한 후 통계적인 검정을 통해 귀무가설을 채택(실제로 두 군 사이의 효과 차이는 없다), 기각(대립가설 곧 혈압약과 위약의 효과는 차이가 있다)하여 유효성을 증명하는 방식을 사용한다. 귀무가설에 대해서 이해히기 위해 통계검정에서 흔히 사용하는 p값 이라는 개념을 창안한 Ronald Fisher의 다음과 같은 설명을 인용한다.

"귀무가설은 절대로 증명되거나 확립될 수 없지만, 아마도 반증하는 것은 가능할 것이다. 모든 실험은 오직 그 사실들로 하여금 귀무가설을 반증시키도록 하는 기회를 부여하기 위해서 존재한다고 말할 수 있다." *

p값은 확률을 의미하는 영단어인 probability의 앞 글자에서 가져온 용어로 귀무가설이 참이라고 가정했을 때 실험을 통해 얻은 관찰값 또는 그보다 더 극단적인 값을 얻을 확률로 정의한다. 위의 혈압약 예시처럼 100명을 2군으로 무작위배정하여 혈압이 얼마나 떨어졌는지 관찰하는 연구를 시행했다고 가정해보자. '3개월간 혈압약을 복용하고 수축기혈압이 처음 대비 10 mmHg이하 저하된 경우'를 치료의 성공이라고 정의한 후 치료군과 위약군의 치료 성공 비율의 두 군간 차이를 통계 검정하여 얻은 p값이 0.05 미만이라면 이것은 무엇을

---

* 1935년 발간된 Ronald Fisher의 "The design of experiments"의 내용을 인용한 "의사가 알아야 할 통계학과 역학" (S. Nassir Ghaemi저, 박원명 등 역)에서 재인용하였다.

의미하는가? '실험약과 위약의 효과가 같다'는 귀무가설이 참일 때 실험 관찰값을 얻을 확률이 5% 미만이 됨을 의미한다. 이 말을 다시 바꿔서 설명해 보자면 두 약의 효과가 동일하다는 결과를 관찰할 가능성이 유사한 시험을 20번 반복하였을 때 1회 미만으로 발생한다는 말이 되며, 실험약과 위약의 효과가 같다는 귀무가설에 맞서는 강력한 증거를 보여준다.[26] 이 경우 귀무가설을 기각하고 대립가설을 채택하며, 새로운 혈압약이 위약과 효과가 다르다고 결론을 내릴 수 있다. 한편 귀무가설이 참인데 귀무가설을 기각하는 경우에는 실제로 효과가 없는데도 효과가 있다고 판단할 실수를 범하게 되므로 이 경우 위양성(false positive) 또는 1종 오류(type 1 error)라고 하며 이에 대하여 정한 확률의 기준이 0.05값이라고 이해할 수도 있다. 가설검정과 관련된 이론에 대해 더 알기 원하는 경우, 별도로 통계와 관련된 서적을[26] 참고하기를 권유한다.

2) 3가지 형태의 가설 검정

의학연구의 가설검정에 관해서 한 가지 더 알아야 할 내용이 있다. 일반적으로 임상시험에서는 3가지 형태로 가설 검정이 수행되는데, 바로 우위성검정(the superiority test), 동등성검정(the equivalence test), 비열등성검정(the non-inferiority test)이다(그림 3-4-1). 우위성검정은 일반적으로 신약을 개발했을 때 위약 혹은 현재 유통되는 기존 약물 등에 비해 약효가 우월한 지 확인하기 위해 시행된다. 이 경우 귀무가설은 신약군의 효과와 대조군의 효과가 동일하다는 것이고, 대립가설은 효과가 다르다는 것이다. 통계적 검정은 2단계로 진행되며, 먼저 우위성검정을 통해 p값을 구하고 그 값이 0.05보다 작다는 것을 확인하여 대립가설을 채택한다. 그 후 신약군의 효과값에서 대조군의 효과값을 뺀 치료효과의 차이값과 95% 신뢰구간을 계산했을 때, 신뢰구간의 하한선이 0에 걸리지 않고 양의 범위에 신뢰구간이 분포하고 있으면, 신약군이 위약군에 비해 효과가 우월하다고 평가할 수 있다.

동등성검정은 일반적으로 복제약의 효과를 기존 허가된 약과 비교했을 때 체내 약물대사의 측면에서 혹은 효과의 측면에서 서로 동일함을 증명하기 위해 시행된다. 이미 허가되어 판매되는 혈압약이 있고, 그것의 복제약이 개발되어 시판되기 위해서는 두 약의 생물학적인 동등성을 입증해야 한다. 약물의 효과를 환자가 인식하지 못할 정도의 범위 이내에서 두 약의 효과 차이가 나타난다면 '두 약물은 서로 동등하다'고 정의할 수 있다. 동등성검정에서 귀무가설은 두 군 사이의 효과 차이가 동등성마진(환자가 차이를 느끼지 못한다고 여겨지는 가장 큰 차이)보다 크다는 것이고, 대립가설은 효과 차이가 동등성마진보다 작다는 것이다. 동등성검정에서 p값이 0.05보다 작다는 것은 두 치료가 동등하다는 것을 의미한다. 동등성검정에서 두 군간의 차이값의 95% 신뢰구간의 상한선과 하한선이 동등성마진의 ±절대값 이내에 존재하는 것도 동일한 의미를 갖는다.

비열등성검정은 '시험약의 효과가 대조약(활성대조약)에 비해 작지 않다'(열등하지 않다)는 것을 확인하기 위해 시행되므로, 시험약의 치료적 효과를 검증할 목적으로 수행되는 일반적인 임상시험과는 다른 형태의 연구에 활용된다. 곧 위중한 질병에 이환된 환자를 대상으로 위약을 투여하는 것이 부적절한 경우처럼, 윤리적인 이유에서 불가피하게 이미 통용되는 활성치료를 대조군으로 이용해야 하는 경우나 중요한 1차 건강결과에 대한 효과는 치료군과 대조군의 차이가 명백하지 않지만 삶의 질 증진이나 다른 부수적인 측면에서의 효과가 기대

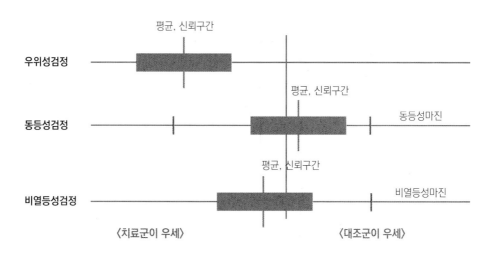

그림 3-4-1. 우위성, 동등성, 비열등성의 개념
더 자세한 설명은 Superiority, Equivalence, and Non-Inferiority Trials 논문을 참조[28]

되는 경우, 부작용이나 독성이 적은 중재인 경우, 혹은 치료군의 중재가 가격이 더 저렴하거나 환자에게 투여하기 편리한 형태의 제형인 경우처럼 임상적 효과 이외의 영역에서 부수적인 장점이 예측되는 경우에 이용된다.

비열등성검정을 위해서는 비열등성마진(한계)이라는 치료군과 대조군 사이의 가상의 효과 크기 값을 정한다. 귀무가설은 '시험군의 효과가 대조군의 효과에 비해 열등한 정도가 비열등성마진보다 더 크다'이며, 대립가설은 '시험군의 효과가 대조군의 효과에 비해 열등한 정도가 비열등성마진보다 더 작다'이다. 신뢰구간의 하위 한계값이 비열등성마진보다 더 열등한 값을 가진다면, '귀무가설에 반하는 증거가 없다'고 해석한다(No evidence against the null hypothesis). 반대로 하위 한계값이 비열등성마진보다 덜 열등하다면, 귀무가설에 반하는 증거, 즉 '시험치료의 비열등성증거가 있다'고 해석한다(Evidence against the null hypothesis). 비열등성검정은 단측 검정이므로 1종 오류는 양측 검정 때의 절반 수준으로 설정한다.[27]

이와 같이 어떤 연구목적을 가지고 있는지에 따라 가설과 통계분석 방법이 달라지게 되므로 연구목적이 무엇인지를 파악하는 것이 중요한 이유가 여기에 있다.[28, 29]

3) 검정력의 문제

임상연구에 관련된 통계 및 결과를 살펴볼 때 주의해야 할 사항 중 하나는 해당 연구가 충분한 연구대상자를 포함하고 있는지의 여부이다. 가상의 혈압약에 대한 연구 예시를 통해 이 부분을 좀 더 설명해보자. 새로 개발한 혈압약과 위약을 비교하기 위해 40명의 대상자를 모집하는 임상시험을 진행하였다. 연구결과 3개월 복용 이후 두 군 사이의 수축기 혈압의 평균 차이가 10 mmHg였고, 우월성 검정을 시행하여 p값을 구했더니 0.05 이상의 값이 확인되었다. 이 경우 통계적으로 유의한 차이가 없다고 판단하고, 귀무가설을 채택하여 '두 중재 사이의 효과 차이가 없다'라고 결론을 내리는 것이 정당할 것인가? 만일 각 군의 대상자를 100명으로, 혹은 1,000명으로 늘려서 연구를 수행했을 경우에는 어떤 결론이 도출될 수 있을 것인가?

여기서 언급되는 내용이 바로 검정력(power)이라는 개념이다. 임상연구는 대상 인구집단에서 추출한 표본을 대상으로 수행되며, 표본자체가 가지고 있는 변이 때문에, 연구를 통해 관찰한 값이 실제 참값이 아닐 가능성이 있다. 이러한 경우를 고려하여, 해당 연구를 통해 관찰한 값이 실제 참값임을(효과가 있음을) 확인할 수 있는 가능성의 정도를 검정력이라고 한다[30]. 검정력을 계산하기 위해 고려해야할 사항 중 위양성에 대립되는 개념으로 위음성(false negative)이 있다. 실제로는 중재 사이에 유의미한 효과의 차이가 있는데, 통계 분석상 p값이 0.05 이상이라 귀무가설을 채택하는 경우, 실제 효과가 있는데도 불구하고 효과가 없다고 판단하게 되는 상황이 발생한다. 이러한 경우 위음성이 되며, 1종 오류에 대비하여 2종 오류(type 2 error)라고 부른다. 검정력은 바로 위음성과 관련되어 있으며, 2종 오류가 발생하지 않을 확률이 바로 검정력을 의미한다.

다시 위의 예시로 돌아가보자. 연구대상자의 수가 많아질수록, 연구를 통해 관찰한 효과크기가 참 효과크기임을 확인할 수 있는 가능성이 커지는 것은 직관적으로 이해할 수 있다.[30] 곧 대상자의 수가 많을수록 검정력이 커진다고 볼 수 있다. 다음으로 치료군과 대조군 사이의 효과차이(효과크기, effect size)가 큰 경우와 작은 경우를 생각해보자. 만일 위의 혈압약이 위약과 비교하였을 때 수축기혈압을 10 mmHg 만큼 떨어뜨린 경우와 5 mmHg 떨어뜨린 경우, 극단적으로 1 mmHg 떨어뜨린 경우를 상정해보면, 어떠한 경우가 실제 효과가 있을 때 유의한 차이가 있다는 결정을 내리기 쉬울까? 당연히 효과크기가 클수록 차이가 있다는 결론을 내리기 쉬울 것이므로, 검정력이 크다고 판단할 수 있다.

정리하자면 임상연구를 시행하고 그 결과를 통계분석하였을 때 단순히 p값만을 가지고 군간의 차이가 있는지 없는지를 결정하는 것이 중요한 것이 아니라 충분한 검정력을 가지는 연구인지를 먼저 확인하는 것이 필요하다. 검정력이 확보된 연구인지 아닌지를 알기 위해서 효과크기의 차이값과 표본의 변이를 고려하여 필요한 연구대상자 수가 계산되었는지, 그리고 그 수만큼의 대상자를 모집해서 연구를 완료하였는지 확인해야 한다. 대상자의 수가 계산되지 않았거나, 계산이 잘못된 경우, 혹은 계산하였지만 그 만큼의 대상자를 모집하지 못한 연구의 경우 충분한 검정력이 확보되지 않아서, 위음성의 결론을 내릴 위험이 있다는 사실을 염두에 두어야 할 것이다. 또한 검정력을 높이기 위해서 무조건 많은 수의 대상자를 무제한 등록시켜 임상연구를 진행하는 것은 중재의 유효성과 안전성이 확립되지 않은 상황에서 불필요한 위험에 노출시킬 가능성이 높아지기 때문에 비윤리적이라는 사실을 기억해야 한다. 이러한 관점에서 **연구대상자 수의 계산**은 필수불가결한 임상연구의 요소임을 이해해야 한다.[29]

요 약

　임상연구는 목표 인구집단 내의 표본을 대상으로 사전에 수립된 가설을 검증하기 위해 수행된다. 따라서 연구의 가설이 무엇인지 파악하는 것이 중요하다. 또한 통계적인 유의성이 있는지 제시해주는 p값을 보는 것 이외에도 충분한 검정력을 가진 연구인지를 확인하는 것도 필요하다.

통계와 관련된 기초 지식

1) 자료의 종류

임상연구의 통계분석 및 체계적문헌고찰에서의 메타분석에 대하여 이해하기 위해서는 먼저 분석의 대상이 되는 자료의 성질을 이해해야 한다. 자료의 종류는 사실 다양하지만, 일반적인 임상시험과 메타분석에서 주로 다루고 있는 자료는 크게 이분형자료(dichotomous data)와 연속형자료(continuous data)로 분류한다. 이분형자료는 사망 또는 생존 혹은 증상의 호전 또는 악화와 같이 예/아니오의 2가지 선택지 중 한 가지의 결과값을 가지는 자료를 의미한다. 이러한 자료는 대개 2 × 2의 표 형태로 자료가 정리되며, 각 군별로 전체 대상자 수에 대한 예 혹은 아니오의 결과값을 가진 대상자 수의 비율 형태로 대표값을 가진다. 그림 3-4-2에 제시된 2 × 2 표를 보면, 침치료군에서 치료에 성공으로 반응한 환자의 비율은 30/40으로 75%의 성공률로 평가할 수 있고, 대조군인 물리치료군에서 치료에 성공한 비율은 20/40으로 50%로 계산할 수 있다(그림 3-4-2). 연속형자료는 자료가 연속적인 숫자로 표시되며, 치료군과 대조군에 포함된 대상자의 수와 각 군의 평균, 표준편차 등의 대표값을 가진다.

예시) 만성요통환자에 대한 침치료의 효과를 평가하기 위해서 4주간 침치료와 물리치료를 실시하고 통증 시각상사척도(VAS)가 치료전의 50% 이상 감소하였을 때 치료 성공이라고 정의한 경우 군간 비율

	성공	실패	군별대상자수
침치료군(치료군)	30명(a)	10명(c)	40명(a+c)
물리치료군(대조군)	20명(b)	20명(d)	40명(b+d)
합계	50명(a+b)	30명(c+d)	

그림 3-4-2. 이분형자료와 요약 통계량 예시

- 상대위험도(relative risk, RR)

$$\frac{a}{a+c} / \frac{b}{b+d}$$

- 오즈비(odds ratio, OR)

$$\frac{a}{c} / \frac{b}{d}$$

- 위험차(risk difference, RD)

$$\frac{a}{a+c} - \frac{b}{b+d}$$

- 치료필요수(number needed to treat, NNT)

$$\frac{1}{\left|\frac{a}{a+c} - \frac{b}{b+d}\right|}$$

2) 자료의 분포

또한 자료가 정규분포(normal distribution)에 따르는지, 아닌지에 대해서도 확인해야 한다. 일반적으로 의학통계에서 많이 사용하는 T검정(t-test)이나 상관분석, 회귀분석 등의 통계방법은 자료가 정규분포하고 있다는 가정에 기초하여 분석한다. 따라서 해당 자료가 정규분포를 따르고 있는지 아닌지에 대하여 먼저 확인 한 후 자료의 특성에 맞게 통계방법을 선택하는 것이 타당하다. 일반적으로 대상자의 수가 많으면(30-40명 이상) 해당 자료가 정규분포를 따른다고 생각할 수 있으며, 설령 정규분포를 따르지는 않지만, 정규분포한다고 가정하고 분석해도 중대한 문제를 야기하지는 않는다고 한다.[31] 따라서 대상자 수가 적은 연구인 경우 먼저 연구 데이터가 정규분포를 따르는 지에 대한 검정(Kolmogorov-Smirnov test 혹은 Shapiro-Wilk test 등)을 실시하여 정규성을 확인한 후 정규성을 만족할 경우에는 모수검정을 위한 통계방법을 사용해야 하며, 정규성을 만족하지 못할 경우에는 비모수검정 통계방법을 사용하는 것이 적절하다. 이와 같이 통계분석 방법은 자료의 종류와 정규분포인지 비정규분포인지에 따라 달라지며, 어떤 통계를 선택해야 할지에 대해서 설명은 이 책에서는 생략한다.

3) 결측치

임상연구와 관련된 통계의 마지막으로 다룰 내용은 연구에서 중도탈락한 대상자의 자료나 측정이 되지 않은 자료들(결측치)을 어떻게 다룰것인지에 대한 것이다. 연구를 진행하다 보면 대상자 개인사정으로 인해, 혹은 자발적으로 연구 중단을 희망하거나, 혹은 심각한 이상반응 등이 발생하여 불가피하게 연구에서 탈락하는 상황이 종종 발생한다. 이 경우 완전하지 않은 자료가 수집되었을 때, 이 대상자의 자료를 분석에 넣을 것인가 그렇지 않으면 뺄 것인가 하는 것은 중요한 문제이다. 보통 연구의 중도탈락은 중재의 부정적인 효과와 관련이 되어 있으므로, 탈락이 많이 발생한 군의 효과는 과대추정될 우려가 있다. 반면에 경우에 따라서는 제공된 치료에 모두 참여하고, 모든 평가를 완료한 사람의 자료만을 분석에 포함시키는 경우도 있다. 치료의향분석(intention-to-treat analysis, ITT analysis)이란 처음에 배정된 대로 탈락된 대상자의 자료도 분석에 포함시키는 통계원칙을 지칭하며, 계획서순응분석법(per protocol analysis, PP analysis)이란 정해진 치료와 평가를 완료한 대상자의 자료를 이용하여 분석하는 통계원칙을 의미한다. 치료의향분석의 경우 결측치의 보정이 필요하며, 가장 단순한 방법으로 이전관찰치적용분석법(last observation carried forward, LOCF)만을 이 책에서는 설명한다. LOCF 방법은 대상자의 탈락이나 미측정이 발생하기 전의 측정한 값을 결측치 대신에 사용하는 방법으로, 일반적인 질병의 경우 시일이 경과할수록 증상이 호전된 다고 가정했을 때 미측정 발생 이전에 측정한 값이 이후의 미측정 값보다는 임상적으로 부 정적인 수치(증상이 심각함 등)일 것이라고 생각해 볼 수 있다. 따라서 미측정 이전의 값을 결측치를 대신하여 보완한 값인 '보정된 결측치'를 이용하여 효과크기를 평가할 경우 보다 보수적인 결과를 도출할 수 있다.[29]

요 약

　　임상연구와 관련된 통계를 이해하기 위해서 자료의 종류(이분형자료 혹은 연속형자료)와 분포(정 규분포 여부), 중도탈락자 자료의 분석 포함 여부 등을 이해하고 각 상황에 맞는 통계검정의 방법을 사용했는지 검토해야 한다.

메타분석의 이해

체계적으로 검색하여 수집한 임상연구의 결과를 통합하여 중재의 요약된 효과추정치 (summary effect estimates)를 제시하기 위해 메타분석이 실시된다. 메타분석을 이해하기 위해서는 먼저 분석에서 다루고 있는 자료의 종류에 대한 이해가 필요하며 이에 대해서는 위에서 언급하였다.

1) 이분형자료의 메타분석

이분형자료의 메타분석에서 제시하는 효과크기라는 것은 치료군의 성공률과 대조군의 성공률의 비로서 제시되며, 흔하게 사용되는 이분형자료의 효과크기를 나타내는 통계량으로는 상대위험도(relative risk, RR), 오즈비(odds ratio, OR), 위험차(risk difference, RD), 치료필요수(number needed to treat, NNT) 등이 있다(그림 3-4-2). 상대위험도는 치료군에서의 성공률을 대조군에서의 성공률로 나눈 값이며, 오즈비는 치료군과 대조군의 성공 사건이 발생할 경우와 발생하지 않을 경우 사이의 비로, 둘 다 0 이상의 수를 가지며, 두 값이 1인 경우 치료군의 성공률(혹은 오즈값)이 대조군의 성공률(혹은 오즈값)과 동일하므로 두 군 사이의 차이가 없다고 생각할 수 있다.

2) 연속형자료의 메타분석

연속형자료의 효과크기를 나타내는 통계량으로는 평균차(mean difference, MD)와 표준화된 평균차(standardized mean difference, SMD)가 있다. **평균차**는 치료군과 대조군의 건강결과치의 평균값의 차를 구하여 얻어지며, **표준화된 평균차**는 평균차를 그 평균차의 표준편차로 나눈 값이다. 이 두 값은 모두 치료군의 효과와 대조군의 효과 사이의 차이값으로부터 얻어지는데 다른 점은 평균차의 경우 메타분석에 포함된 개별 연구들에서 평가한 건강결과의 종류와 단위가 동일하여 개별 연구에서 치료군과 대조군에서의 건강결과에 대한 효과값의 차를 메타분석을 통해 통합하여 요약효과추정치를 계산한 것이며, 표준화된 평균차의 경우 개별 연구들 사이의 건강결과 종류가 다르거나 단위 등이 달라서 단순히 군간 차이값을 통합하여 계산할 수 없기 때문에, 개별 연구에서 구한 군간 차이값을 표준편차로 나누어서 메타분석을 시행하여 계산한 것이다. 평균차의 경우 각각의 건강결과와 동일한 단위를 쓸 수 있기 때문에, 메타분석의 값을 해석할 때 편리한 장점이 있다. 표준화된 평균차의 경우 개별 연구로부터 얻은 건강결과값 자체를 이용하는 것이 아니라 분산으로 나누어 표준화시켰기 때문에, 개별 연구의 단위를 사용하여 해석하면 안된다. 다만 표준화된 평균차의 값이 0.2 미만인 경우 작은 효과, 0.5인 경우 중간 정도의 효과, 0.8의 경우 큰 효과 값으로 이해할 수 있다.[32] 평균차와 표준화된 평균차 모두 95% 신뢰구간이 0을 지나가게 되면 두 군 사이에 통계적으로 유의한 차이가 없다고 해석할 수 있다.

요 약

메타분석은 체계적문헌고찰에서 여러 임상연구의 결과를 통합하여 요약된 효과추정치를 제공하기 위한 통계적 방법으로, 자료의 속성에 따라 이분형변수의 통계량으로 상대위험도나 오즈비를, 연속형변수의 통계량으로 평균차와 표준화된 평균차를 사용한다.

3) 메타분석 결과의 해석

이분형자료의 메타분석에서는 체계적문헌고찰에 포함된 여러 건의 연구들에서 각각의 상대위험도 또는 오즈비를 가져오고, 이것들을 모두 결합하여 하나의 통합된 요약효과추정치를 산출하는데, 각 연구로부터 도출된 값을 결합할 때 개별 연구의 중요도에 따라 가중치가 결정되고(연구에 포함된 대상자의 수가 많고, 분산이 작은 연구가 가중치가 큼), 개별 연구의 효과크기와 가중치를 이용하여 통합된 요약효과추정치가 계산된다. 메타분석의 결과는 **수지상도표**(forest plot)에 표시되며, 여기에서 개별 연구의 효과크기(point estimate)의 경우 네모상자로, 동일한 연구가 100번 진행되었을 때 95번 이상 모집단의 참 효과값(모수값)이 포함될 숫자의 범위가 95% 신뢰구간(95% confidence interval)이며 네모 상자의 앞뒤로 이어진 가로선으로 표시된다. 그리고 개별 연구의 효과크기 제일 아래쪽에 있는 마름모 도형은 메타분석을 통해 얻은 통합된 요약효과추정치이다. 개별 연구에서 네모상자의 크기는 해당 연구의 가중치를 의미하며, 크기가 클수록 통합된 요약효과추정치 산출에 더 많은 정보를 제공했다고 해석한다. 신뢰구간이 효과 없음 값(이분형 결과변수는 1, 연속형 변수는 0) 양

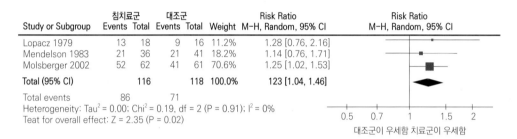

그림 3-4-3. **이분형자료의 메타분석 예시**[*]

---

[*] 이러한 그림을 수지상도표(forest plot)라고 하며, 메타분석한 결과를 도시한다. 3건의 연구(Lopacz 1979, Mendelson 1983, Molsberger 2002)가 메타분석에 포함되어 있다. 각 연구에서 침치료군과 대조군에서 치료의 성공비율을 비교하기 위하여 전체대상자(total)의 수와 치료에 성공적으로 반응한 대상자(events)의 수를 표시하였다. 가중치(weight)는 일반적으로 연구대상자수와 관련이 있으며, 해당 연구의 가중치가 클수록 메타분석에 의해 도출된 통합 요약통계량에 더 많이 기여하게 된다. 이 도표에서는 멘텔-헤젤 추정법(M-H estimation method)을 이용하여 가중치를 계산하였다. 다음으로 개별 연구의 상대위험도와 통합 효과추정치가 제시되어 있다. 본 도표에 제시된 메타분석의 결과값인 상대위험도의 통합 효과추정치는 1.23, 95% 신뢰구간은 1.04에서 1.46으로 제시되어 있는데, 신뢰구간이 1을 지나지 않기 때문에 치료군이 통계적으로 유의하게 우세하다고 해석할 수 있다. 마지막으로 수지상도표 마지막 부분의 그림에서 개별 연구의 효과추정치는 네모로, 95% 신뢰구간은 이어진 선으로 표시되며, 제일 아래에 위치한 통합된 요약 효과추정치는 마름모로 표시된다. 통계적인 이질성에 대한 자료는 카이제곱검정의 p값과 아이제곱검정의 통계량을 통해 확인할 수 있다. 이 자료에서는 p값이 0.91이고, 아이제곱검정의 통계량이 0이기 때문에 통계적인 이질성이 본 메타분석의 결과값에 큰 영향을 주지 않는다고 해석할 수 있다. 본 자료는 Acupuncture and dry-needling for low back pain 논문의 자료를 참조하여 구성하였다.[33]

쪽에 걸쳐져 있는 경우, 치료군과 대조군 사이에 통계적으로 뚜렷한 차이가 없다고 이해할
수 있다.

그림 3-4-3은 수지상도표의 예시로, 만성요통환자에 대한 침치료 효과 평가를 위한 메타
분석 결과를 도시하고 있다. 3건의 연구가 포함되었으며, 수지상도표에서 침치료군과 거짓
침 대조군사이의 전반적인 호전에 대한 통합 효과추정치인 상대위험도(RR)는 1.23, 95% 신
뢰구간은 1.04에서 1.46임을 알 수 있다. 이것은 침치료가 거짓침에 비해 치료의 성공률이 23%
높으며, 이는 통계적으로 유의미한 차이가 있는 값이라고 해석할 수 있다. 결국 이 메타분석 결
과에 의하면 만성요통을 가진 환자에게 침치료를 적용할 때 치료의 성공비율이 대조군의
치료에 비해 높다고 이해할 수 있다.[33]

4) 이질성 탐색

수지상도표에서 하나 더 주의해서 보아야 할 부분은 통계적인 이질성(heterogeneity)에 대
한 내용이다. 메타분석의 기본적인 전제는 분석에 포함되는 개별 연구들이 연구대상자의
특성이나 중재, 평가한 건강결과 등 다양한 측면에서 서로 비슷하기 때문에 통합이 가능하
다는 점이다. 만일 연구를 구성하는 이러한 요소들이 서로 유사하지 않으나, 개별 연구를
모아서 통합된 요약효과추정치를 도출한 경우, 해당 값을 신뢰할 수 없게 된다. 이 때 연구
들 사이에 이질성이 있다고 하고, 설명할 수 있는 이질성에 기여하는 요인이 무엇인지 탐색
하게 된다. 이에 대한 자세한 내용을 공부하고자 한다면 한국보건의료연구원(NECA)에서
출간된 체계적문헌고찰 매뉴얼 등을 참조하도록 한다.[18]

수지상도표에는 이질성을 통계적으로 분석한 값이 제시되어 있다. 카이제곱검정(Chi-
square)값과 아이제곱(I square, I^2) 값이 바로 통계적 이질성을 나타내는 것으로, 카이제곱검
정의 p값이 0.05 미만인 경우 통계적 이질성이 있다고 해석할 수 있으며, 아이제곱의 통계량
이 0에서 40 사이의 값인 경우 이질성이 중요하지 않다고 해석할 수 있고, 30에서 60 사이의
값인 경우 중등도의 이질성을 보이며, 50에서 90사이의 값은 중대한 이질성을 보이고, 75에

서 100 사이의 값은 심각한 이질성을 보인다고 해석할 수 있다.[34] 이질성이 있는 경우에는 메타분석을 통해 도출한 통합 요약추정치 값에 대한 신뢰성에 영향을 끼쳐, 해당 값을 있는 그대로 받아들일 수 없게 된다.

이분형자료의 메타분석에서 통합된 요약효과추정치의 95% 신뢰구간이 1을 지나지 않으면 통계적으로 유의한 차이가 있다고 해석할 수 있으며, 연속형자료의 경우 0을 지나지 않으면 통계적으로 유의한 차이가 있다고 해석할 수 있다. 메타분석의 결과를 해석할 때 이질성에 관련된 부분도 눈여겨 보아야 한다.

알기 쉬운 임상연구 입문 가이드

참고문헌

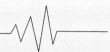

1. https://clarivate.co.kr/category/news-rooms/2019JCR.

2. http://jcr.clarivate.com.ssl.openlink.khu.ac.kr:8080/JCRHomePageAction.action?

3. https://clarivate.com/webofsciencegroup/wp-content/uploads/sites/2/dlm_uploads/2019/08/JCR_Full_Journal_list140619.pdf

4. http://clarivate.co.kr/category/product-release/SCIretirement.

5. BMJ case reports, https://casereports.bmj.com/pages/.

6. https://www.nejm.org/about-nejm/about-nejm.

7. JCR의 통합 및 보완의학 저널 리스트, http://jcr.clarivate.com.ssl.openlink.khu.ac.kr:8080/JCRJournalHomeAction.action?pg=JRNLHOME&categoryName=INTEGRATIVE%20%26%20COMPLEMENTARY%20MEDICINE&categories=OI.

8. https://www.yna.co.kr/view/AKR20191127061400063.

9. 한국한의약연감 발간위원회 2016 한국한의약연감: 한국한의학연구원, 한약진흥재단, 대한한의사협회, 부산대학교 한의학전문대학원; 2018.

10. '가짜학문' 제조공장의 비밀, 뉴스타파, 2018년 7월 19일 기사, https://newstapa.org/article/0dGbY.

11. Beall J: Predatory publishers are corrupting open access. Nature 2012, 489(7415):179-179.

12. Cobey KD, Lalu MM, Skidmore B, Ahmadzai N, Grudniewicz A, Moher D: What is a predatory journal? A scoping review. F1000Research 2018, 7.

13. Chapter 4: Searching for and selecting studies, 4.3 Sources to search, https://training.cochrane.org/handbook/current/chapter-04#section-4-3.

14. PubMed, https://www.ncbi.nlm.nih.gov/pubmed/?term=Pubmed+all%5Bsb%5D.

15. Embase, http://korea.elsevier.com/ElsevierDNN/OnlineSolutions/EMBASE/tabid/796/Default.aspx.

16. Cochrane collaboration, https://www.cochrane.org/about-us.

17. ICMJE, http://www.icmje.org/about-icmje/faqs/clinical-trials-registration/.

18. 김수영, 박지은, 서현주, 서혜선, 손희정, 신채민, 이윤재, 장보형, 허대석: NECA 체계적문헌고찰 매뉴얼. *NECA 연구방법 시리즈* 2011:25.

19. Prorok JC, Iserman EC, Wilczynski NL, Haynes RB: The quality, breadth, and timeliness of content

updating vary substantially for 10 online medical texts: an analytic survey. *Journal of clinical epidemiology* 2012, 65(12):1289-1295.

20. CEBM, https://www.cebm.net/2014/06/critical-appraisal/.

21. Critical appraisal of systematic reviews in CEBM, https://www.cebm.net/wp-content/uploads/2019/01/Systematic-Review.pdf.

22. Critical appraisal of randomized controlled trials in CEBM, https://www.cebm.net/wp-content/uploads/2018/11/RCT.pdf.

23. 춤으로 파킨슨병 고친다?, https://news.joins.com/article/8422658.

24. dos Santos Delabary M, Komeroski IG, Monteiro EP, Costa RR, Haas AN: Effects of dance practice on functional mobility, motor symptoms and quality of life in people with Parkinson's disease: a systematic review with meta-analysis. *Aging clinical and experimental research* 2018, 30(7):727-735.

25. 이언 해킹: 우연을 길들이다: 통계는 어떻게 우연을 과학으로 만들었는가?; 2012.

26. S. Nassir Ghaemi: 의사가 알아야 할 통계학과 역학. 서울: 황소걸음 아카데미; 2015.

27. Schumi J, Wittes JT: Through the looking glass: understanding non-inferiority. Trials 2011, 12(1):106.

28. Lesaffre E: Superiority, equivalence, and non-inferiority trials. *Bulletin of the NYU hospital for joint diseases* 2008, 66(2).

29. 강승호: 신약개발에 필요한 의학통계학. In.: 자유아카데미; 2010.

30. Kirkwood BR, Sterne JA: Essential medical statistics: John Wiley & Sons; 2010.

31. Ghasemi A, Zahediasl S: Normality tests for statistical analysis: a guide for non-statisticians. *International journal of endocrinology and metabolism* 2012, 10(2):486.

32. Faraone SV: Interpreting estimates of treatment effects: implications for managed care. *Pharmacy and Therapeutics* 2008, 33(12):700.

33. Furlan AD, Van Tulder MW, Cherkin D, Tsukayama H, Lao L, Koes BW, Berman BM: Acupuncture and dry-needling for low back pain. *Cochrane Database of Systematic Reviews* 2011(1).

34. Cochrane handbook, https://handbook-5-1.cochrane.org/chapter_9/9_5_2_identifying_and_measuring_heterogeneity.htm.

부록

SECTION

01. PubMed의 검색 개요
02. 주요 보고지침의 소개
03. 임상연구 레지스트리 소개
04. 한의약 임상연구 현황

01

PubMed의 검색 개요

부록 1-1 **PubMed의 검색화면**

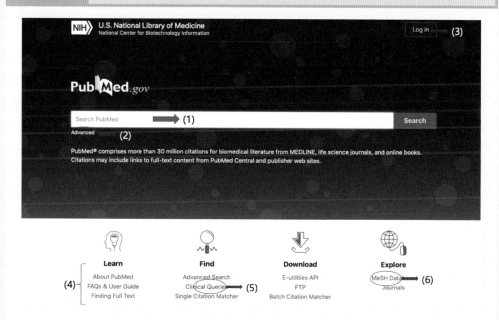

(1) 찾고자 하는 검색어를 입력한다. 개별 keyword 검색과 불리언 연산자(boolean operator) 등으로 구성된 검색식을 이용한 검색이 모두 가능하다.

(2) 복잡한 검색식을 구성할 수 있다.

(3) NCBI에 등록하고 로그인하면 검색기록을 저장할 수 있고, RSS피드를 만들면 정기적으로 새로 출간된 논문들에 대한 검색결과를 이메일을 통해 받아 볼 수 있다.

(4) PubMed 사용법에 관한 정보를 얻을 수 있다.

(5) Clinical queries는 PubMed에서 제공하는 특별한 서비스 중 하나로, 검색하는 대상이 임상연구인 경우 Clinical study categories에, 체계적 문헌고찰인 경우 Systematic reviews에, 의료유전학연구인 경우 Medical Genetics의 제하의 열에 논문의 목록이 나열된다. 특정 검색 주제 중 임상연구 혹은 체계적 문헌고찰만 별도로 검색하려는 경우에 유용하다.

(6) MeSH는 PubMed에서 논문들을 색인화하기 위하여 사용되는 미국 국립의학도서관만의 특수한 어휘 사전으로, 내가 검색하고자 하는 단어의 표제어(subject headings) 및 표제어의 정의, 동의어들에 대한 정보를 얻을 수 있다.

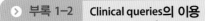

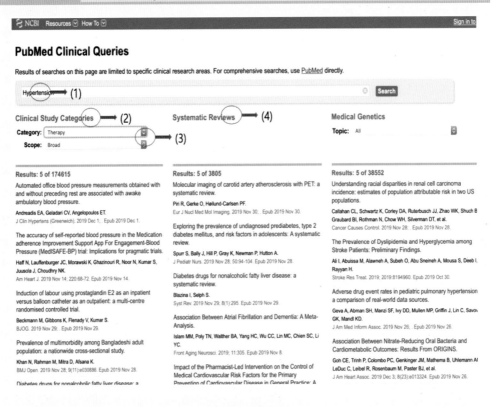

(1) 알고자 하는 질환, 증상, 중재(치료) 등 검색어를 입력한다.

(2) Clinical Study Categories에는 위에서 검색한 주제어에 대하여 검색된 임상연구의 목록이 제시된다. 이 범주에서 제공하는 문헌은 임상시험 또는 무작위대조군연구 등이다.

(3) 내가 알고자 하는 것이 치료(therapy)인지, 진단(diagnosis)인지, 병인(etiology)인지, 예후(prognosis)인지, 임상 예측에 대한 지침(clinical prediction guides)인지 선택할 수 있고, 해당 주제에 대하여 민감도가 높게(관련성이 조금이라도 있으면 검색되게) 검색하거나(broad) 특이도가 높게(관련성이 아주 높은 문헌들이 검색되게) 검색하도록(narrow) 지정할 수 있다.

(4) Systematic Reviews에는 위에서 검색한 단어와 연관된 체계적문헌고찰의 목록이 제시된다. 이 범주에서 제공하는 문헌은 완료된 다양한 유형의 체계적문헌고찰이며, 체계적문헌고찰의 연구계획서(protocol)는 배제된다.

> 부록 1-3 　 PubMed의 검색방법 *

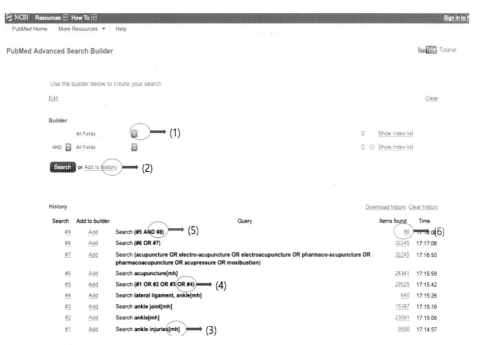

(1) 검색어를 입력하고, 필요하면 태그를 지정할 수 있다.
(2) 검색하려는 검색어를 History에 추가한다.
(3) MeSH 용어가 태그되어 있는 논문을 검색한다.
(4) 불리언 연산자를 이용하여 1번부터 4번까지 검색어를 연결한다.
(5) 질환(발목염좌)과 중재(침)를 AND로 연결하여 검색식을 완성한다*.
(6) 최종적으로 검색된 90개의 문헌 리스트를 확인할 수 있다.

1. 단순검색

　(1) 검색하고자 하는 주된 단어를 입력한다. 이때 임상질문 중 환자군(질환, 증후, 인구집단 등)이나 검색하고자 하는 중재명(치료, 의약품, 의료기기 등)을 입력한다.
　(2) PubMed에서는 자동완성기능을 제공하고 있으므로, 단어의 입력에 오류가 있더라도 최적의 검색결과를 제공한다.

---

* 본 검색식은 Cochrane review인 'Acupuncture for treating acute ankle sprains in adults'에서 사용한 검색식을 다소 변형하여 제시한 것이다.[2]

(3) 논문의 저자명이나 저널의 이름 등을 입력하여 검색할 수도 있다.

(4) 불리언 연산자(AND, OR, NOT) 등을 활용하여 검색의 범위를 줄이는 것도 가능하다.

(5) 절단어 검색기능은 단어의 어미에 변화가 많은 경우, 어미가 변화된 단어들을 모두 포함하여 검색이 가능하도록 지원하는 기능이며 검색하려는 단어의 뒤에 * 표시를 붙여주면 절단어 검색이 가능하다. 예로 flavor* 이라고 입력하고 검색하면 flavor를 포함하여 flavored, flavorful, flavoring 등이 모두 검색된다.

(6) 검색 필드에 대한 태그를 검색어 뒤에 붙여 검색하면 특정 필드에 해당되는 검색어만 검색된다. 많이 쓰는 태그로는 [AU](저자명), [ISBN](ISBN 번호), [TA](저널명), [MH](MeSH 용어), [TI](논문 제목), [TIAB](논문 제목과 초록) 등이다.

2. 복합검색(Advanced searching)

(1) PubMed에서는 검색기록(history)을 이용하여 복잡한 검색식을 구성하여 검색하는 기능도 제공하고 있다.

(2) 복합검색을 위해서는 검색창 아래에 있는 Advanced 배너를 클릭하고 Builder 칸에 검색어를 넣고 검색을 하거나 검색기록에 추가(Add to history)를 통해 검색식을 구성한다.

(3) 다른 검색어를 Builder칸에 입력하여 검색식에 추가한다.

(4) 검색기록에 포함된 검색어들은 각각 일련번호를 부여받으며, 일련번호끼리 AND, OR, NOT 등의 불리언 연산자를 통해 결합이 가능하다.

02

주요 보고지침의 소개

(1) 주요 연구 유형별 보고지침이 제시되어 있다. 자신에게 필요한 보고지침을 클릭하면 해당 지침에 대한 정보와 다운로드 받을 수 있는 링크를 제공한다.

(2) 주요 연구 유형별 보고지침 및 이외의 다양한 보고지침을 검색할 수 있다.

(3) 보고지침의 개발방법에 대한 안내를 찾아볼 수 있다.

1996년 무작위대조군임상연구 결과의 투명하고 충실한 보고를 위해, 논문에 필수적으로 들어가야 할 요소들에 대한 점검표(checklist)를 담고 있는 CONSORT 지침(statement)이 발표된 이래로,[3] 다양한 형태의 연구들에 대한 보고지침(reporting guideline)이 현재 통용되고 있다. EQUATOR network는 보고지침의 개발과 보급에 앞장서고 있는 국제적인 비영리단체로, 해당기관 홈페이지에서 연구 설계별로 이미 개발되어 있는 지침에 대한 검색과 지침에 대한 링크를 제공하고 있으며, 어떤 보고지침을 사용해야 하는지 결정할 때 도움이 되는 자료 및 다양한 교육관련 소식 등을 제공하고 있다. 최근에는 의학저널에 논문을 투고하기 전, 연구 설계별 점검표를 스스로 체크하여 첨부할 것을 강제하고 있기 때문에, 논문을 작성하거나 심사할 때 보고지침을 반드시 활용해야 한다. 부록에서는 주요 유형별 보고지침에 대하여 간략히 소개한다.

부록

 부록 2-2 **무작위대조군임상연구의 보고지침: CONSORT 지침[4]**

CONSORT 2010 Statement: updated guidelines for reporting parallel group randomised trials

Reporting guideline provided for?
(i.e. exactly what the authors state in the paper)

Parallel group randomised trials

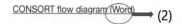

CONSORT checklist (Word) **(1)**   CONSORT flow diagram (Word) **(2)**

Full bibliographic reference

Schulz KF, Altman DG, Moher D, for the CONSORT Group. CONSORT 2010 Statement: updated guidelines for reporting parallel group randomised trials. **(3)**

This guideline was published simultaneously in 9 journals. You can read the guideline in any of these journals using the links below.

Ann Int Med. 2010;152(11):726-32. PMID: 20335313
BMC Medicine. 2010;8:18. PMID: 20334633
BMJ. 2010;340:c332. PMID: 20332509
J Clin Epidemiol. 2010;63(8): 834-40. PMID: 20346629
Lancet. 2010;375(9721):1136 supplementary webappendix
Obstet Gynecol. 2010;115(5):1063-70. PMID: 20410783
Open Med. 2010;4(1):60-68. PMID: 21686296
PLoS Med. 2010;7(3): e1000251. PMID: 20352064
Trials. 2010;11:32. PMID: 20334632

(1) CONSORT 점검표를 이용할 수 있다.
(2) CONSORT 임상시험 흐름도를 이용할 수 있다.
(3) CONSORT 2010 지침의 개발과정 및 점검표, 임상시험 흐름도 등이 수록된 논문을 확인할 수 있다.

평행설계 무작위대조임상연구의 결과보고를 위한 지침인 CONSORT는 현재 2010년판이 사용되고 있다. 보고지침에서는 점검표와 CONSORT 임상시험 흐름도(flow diagram)를 제공하고 있으며, 한글 번역판도 이용 가능하다.[5] CONSORT 2010은 지침을 담고 있는 공식 논문과 CONSORT 점검표상 개별 요소들에 대한 설명과 예시를 담고 있는 별도의 논문(CONSORT 2010 Explanation and Elaboration)으로 구성되어 있다. CONSORT에서 다루지 않지만, 특정 주제를 검토할 때 필요한 내용이 있는 경우에는 해당 내용을 포함하는 확장된 지침(extension guideline)을 활용해야 하며, 대표적인 확장지침으로 부작용 보고를 위한 CONSORT Harms, 비열등성 시험을 위한 CONSORT Non-inferiority, 군집무작위배정연구를 위한 CONSORT Cluster, 한약물 연구를 위한 CONSORT Herbal, 실용적 임상연구를 위한 CONSORT Pragmatic Trials 등이 이용 가능하며, 침연구의 경우 STRICTA Controlled trials of acupuncture를 활용하여 보고한다.

> **부록 2-3** 체계적문헌고찰의 보고지침: PRISMA 지침

Search for reporting guidelines

Use your browser's Back button to return to your search results

Preferred Reporting Items for Systematic Reviews and Meta-Analyses: The PRISMA Statement

Reporting guideline provided for?
(i.e. exactly what the authors state in the paper)

Systematic reviews and meta-analyses

PRISMA checklist (Word)   PRISMA flow diagram (Word)

Full bibliographic reference

Moher D, Liberati A, Tetzlaff J, Altman DG, The PRISMA Group. Preferred Reporting Items for Systematic Reviews and Meta-Analyses: The PRISMA Statement.

This guideline was published simultaneously in 6 journals. You can read the guideline in any of these journals using the links below.

PLoS Med. 2009; 6(7):e1000097. PMID: 19621072
BMJ. 2009; 339:b2535. PMID: 19622551
Ann Intern Med. 2009;151(4):264-269, W64. PMID: 19622511
J Clin Epidemiol. 2009;62(10):1006-1012. PMID: 19631508
Open Med. 2009;3(3);123-130. PMID: 21603045
Int J Surg. 2010;8(5):336-341. PMID: 20171303

체계적문헌고찰과 메타분석에 대한 논문을 작성할 때 필수적인 항목들을 포함하고 있는 PRISMA 지침이다. CONSORT 2010 지침과 동일하게 PRISMA 지침에는 PRISMA 점검표와 PRISMA 흐름도(flow diagram)를 제공하고 있으며, 한국어판도 활용가능하다.[6] 체계적문헌고찰도 시간이 경과함에 따라 세부적인 연구방법론과 연구주제가 등장하면서, 네트워크 메타분석을 위한 PRISMA extension for network meta-analysis와 부작용에 대한 체계적문헌고찰을 다루는 PRISMA-harms, 개별환자자료를 이용한 메타분석을 위해 PRISMA-IPD 등의 확장된 지침도 현재 활용가능하다.[7]

> 부록 2-4   임상연구계획서의 보고지침: SPIRIT 2013 성명서

 SPIRIT 2013 Statement: Defining standard protocol items for clinical trials

Reporting guideline provided for? (i.e. exactly what the authors state in the paper)	Defining standard protocol items for clinical trials SPIRIT 2013 checklist (Word)
Full bibliographic reference	Chan A-W, Tetzlaff JM, Altman DG, Laupacis A, Gøtzsche PC, Krleža-Jerić K, Hróbjartsson A, Mann H, Dickersin K, Berlin J, Doré C, Parulekar W, Summerskill W, Groves T, Schulz K, Sox H, Rockhold FW, Rennie D, Moher D. SPIRIT 2013 Statement: Defining standard protocol items for clinical trials. Ann Intern Med. 2013;158(3):200-207.
Language	English
PubMed ID	23295957
Relevant URLs (full-text if available)	The full-text of the SPIRIT 2013 Statement is available from: http://www.spirit-statement.org/publications-downloads/
Explanation and elaboration papers	Chan A-W, Tetzlaff JM, Gøtzsche PC, Altman DG, Mann H, Berlin J, Dickersin K, Hróbjartsson A, Schulz KF, Parulekar WR, Krleža-Jerić K, Laupacis A, Moher D. SPIRIT 2013 Explanation and Elaboration: Guidance for protocols of clinical trials. BMJ. 2013;346:e7586. PMID: 23303884
Availability in additional languages	The SPIRIT 2013 Statement is available in Spanish, Chinese, Italian (PDF), Japanese (PDF) and Korean (PDF).

임상연구를 시행하기 위해 작성하는 연구계획서(protocol)에 들어가야 할 항목을 제시한 보고지침이 SPIRIT 2013이다. CONSORT 2010 지침처럼 SPIRIT 2013 성명서에서도 SPIRIT 점검표를 제공하며, 한국어판도 활용가능하다.[8] 연구계획서에 일반적으로 추가되어 있는 연구대상자의 등록 및 중재의 시행, 평가를 위한 일정을 도식화하는 그림의 예시가 제시되어 있어, 연구계획을 수립하는 연구자나 논문을 심사하는 사람이 도움을 얻을 수 있다.

부록 2-5 **증례보고의 보고지침: CARE 지침**

The CARE Guidelines: Consensus-based Clinical Case Reporting Guideline Development

Reporting guideline provided for?
(i.e. exactly what the authors state in the paper)

For completeness, transparency and data analysis in case reports and data from the point of care.

CARE checklist (PDF)

Full bibliographic reference

Gagnier JJ, Kienle G, Altman DG, Moher D, Sox H, Riley D; the CARE Group. The CARE Guidelines: Consensus-based Clinical Case Reporting Guideline Development.

This guideline was published simultaneously in 7 journals. You can read the guideline in any of these journals using the links below.

BMJ Case Rep. 2013; doi: 10.1136/bcr-2013-201554 PMID: 24155002
Global Adv Health Med. 2013;10.7453/gahmj.2013.008
Dtsch Arztebl Int. 2013;110(37):603-608. PMID: 24078847 Full-text in English / Full-text in German
J Clin Epidemiol. 2014;67(1):46-51. PMID: 24035173
J Med Case Rep. 2013;7(1):223. PMID: 24228906 Full-text.
J Diet Suppl. 2013;10(4):381-390. PMID: 24237192
Headache. 2013;53(10):1541-1547. PMID: 24266334

Language

English

Relevant URLs
(full-text if available)

The CARE Checklist is available to download in English as a PDF file.

CARE 지침은 임상현장에서 얻은 증례를 학술지를 통해서 발표하고자 할 때, 보고의 완결성과 투명성 등을 보장하기 위해 활용을 권고하는 보고지침으로 CARE 점검표를 제공하고 있으며, 한국어판도 활용가능하다.[9] CARE 지침에서 특징적인 부분은 해당 증례의 증상, 진단 및 치료에 대한 중요한 사건들을 날짜 별로 도식화한 표 또는 그림 형태의 연대표(timeline)와 증례보고에 대한 환자의 사전 동의, 해당 증례에 참여한 환자의 관점 등을 증례보고에 담도록 권유한다는 점이다.[10]

부록 2-6   임상진료지침의 보고지침: AGREE 보고 점검표

 The AGREE Reporting Checklist: a tool to improve reporting of clinical practice guidelines

Reporting guideline provided for? (i.e. exactly what the authors state in the paper)	Reporting of clinical practice guidelines.
	AGREE Reporting Checklist (PDF) AGREE Reporting Checklist (Word)
Full bibliographic reference	Brouwers MC, Kerkvliet K, Spithoff K, AGREE Next Steps Consortium. The AGREE Reporting Checklist: a tool to improve reporting of clinical practice guidelines. BMJ. 2016;352:i1152.
Language	English
PubMed ID	26957104
Relevant URLs (full-text if available)	The full-text of this reporting guideline is available from: http://www.bmj.com/content/352/bmj.i1152?etoc=
Availability in additional languages	The AGREE reporting checklist is also available in the following languages: Italian (Word)
Reporting guideline website URL	http://www.agreetrust.org/resource-centre/agree-reporting-checklist/
Reporting guideline acronym	AGREE Reporting Guideline Checklist

임상진료지침이 개발된 후 지침의 형태로 공개될 때 다양한 정보가 지침 안에 담겨져 있게 된다. AGREE 보고 점검표는 임상진료지침이 포함해야 할 필수 항목에 대하여 빠뜨림 없이 보고될 수 있도록 항목들을 제안하고 있으며,[11] 근거중심의학 방법론에 입각하여 개발된 진료지침의 질평가를 시행할 수 있는 도구를 AGREE 홈페이지에서 제공하고 있다.[12]

03

임상연구 레지스트리 소개

> ▶ 부록 3-1   WHO ICTRP[13]

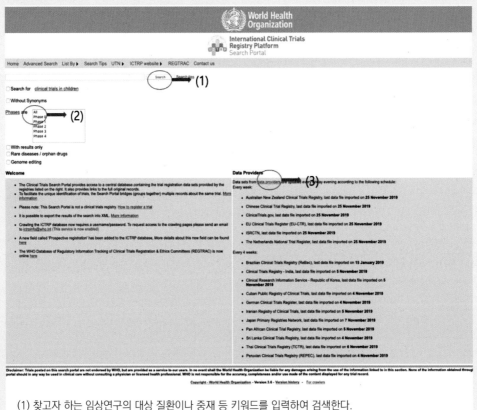

(1) 찾고자 하는 임상연구의 대상 질환이나 중재 등 키워드를 입력하여 검색한다.
(2) 임상시험의 단계를 선택할 수 있다.
(3) 전세계 각국의 임상연구 레지스트리로부터 언제 자료를 업데이트 하였는지에 대한 정보를 확인할 수 있다.

WHO ICTRP는 WHO에서 구축한 임상시험 정보 등록 플랫폼으로 미국, 영국 등 유럽국가 뿐 아니라 한국, 중국, 일본 등 전세계 17개국의 임상시험 레지스트리로부터 전달받은 각국의 임상시험 정보를 매주 단위 혹은 4주 단위로 지속적으로 업데이트하여 보유하고 있나. WHO ICTRP를 활용하여, 전세계 각국에서 진행되는 개별 연구 정보에 대한 검색이 가능하다.

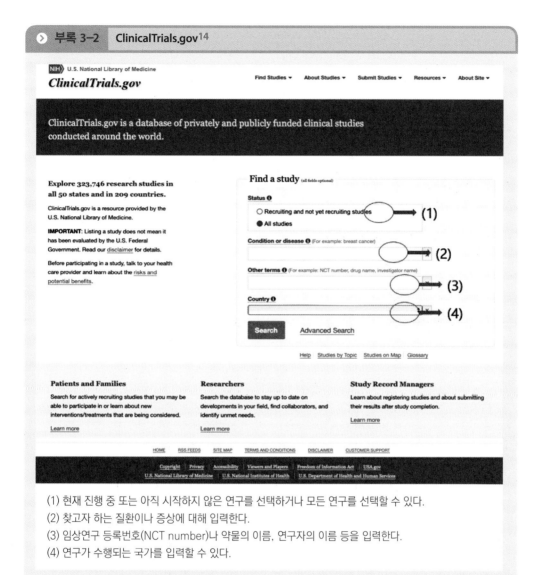

부록 3-2 ClinicalTrials.gov14

(1) 현재 진행 중 또는 아직 시작하지 않은 연구를 선택하거나 모든 연구를 선택할 수 있다.
(2) 찾고자 하는 질환이나 증상에 대해 입력한다.
(3) 임상연구 등록번호(NCT number)나 약물의 이름, 연구자의 이름 등을 입력한다.
(4) 연구가 수행되는 국가를 입력할 수 있다.

ClinicalTrials.gov는 PubMed처럼 미국의 국립의학도서관으로부터 재정지원을 받아 운영되는 임상연구 레지스트리이다. 1997년에 미국의 FDA에 의해 규제되는 임상시험과 관련된 공공정보를 제공하는 FDAMA 1130이라는 법이 발효된 후 2000년에 최초 버전의 ClinicalTrials.gov 웹페이지가 개설되었다. 현재 미국 국내 및 209개 국가에서 진행되는 30만건 이상의 연구가 등록되어 있는 거대한 데이터베이스로 자리잡았다. WHO ICTRP에서도 ClinicalTrials.gov의 연구등록 정보를 확인할 수 있다. 연구자가 WHO ICTRP에 직접 연구 정보를 입력하는 것은 불가능하며, 임상연구를 등록하기 위해서는 ClinicalTrials.gov 등을 통해 등록할 수 있다.

부록 3-3   CRIS[15]

(1) 질환이나 중재 등의 키워드를 이용한 기본검색 기능과 연구 개요 및 관련기관, 대상질환, 임상시험단계, 중재, 연구대상자 등의 정보를 이용하는 상세검색 기능을 제공한다. 연구명을 입력하고 유사도를 선택하면 현재 등록된 연구 중 유사한 연구 리스트를 제공하는 서비스도 이용할 수 있다.

CRIS는 국내의 질병관리본부 산하 국립보건연구원에서 운영하는 임상연구 레지스트리이다. CRIS는 2010년부터 WHO ICTRP에 한국을 대표하는 임상연구 레지스트리로 참여하고 있으며, 주기적으로 등록된 임상연구 정보를 WHO ICTRP에 업데이트하고 있다. CRIS에 임상연구를 등록할 때에는 국문과 영문을 동시에 기입하도록 되어 있는데, 이것은 WHO ICTRP에 연구정보를 등록하기 위해서 필요하다. 2019년 12월 기준, 4,472건의 임상연구가 등록되어 있다.

04
한의약 임상연구 현황

부록 4-1 한의약 임상연구의 단계[16]

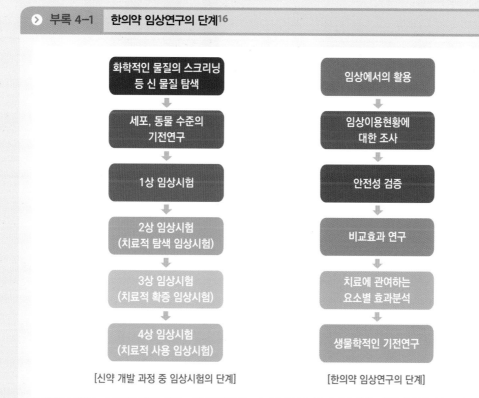

[신약 개발 과정 중 임상시험의 단계]　　　[한의약 임상연구의 단계]

임상시험의 일반적인 목적은 개발된 신약 혹은 의료기기의 유효성과 안전성을 증명하여 허가를 얻어 시판하기 위함이다. 그러나 현재 진행되고 있는 대부분의 한의약 임상연구는 신약 개발 과정으로 수행된다기보다는 이미 통용되고 있는 한의학적 치료기술 곧 한약(처방, 단미제), 비약물치료(침, 뜸, 부항, 기공 등)의 안전성, 유효성에 대한 임상 근거를 수립하기 위해 수행된다. 위의 그림에서 제시된대로 의약품임상시험은 화학물질을 스크리닝해서 생물학적인 기전이 밝혀진 물질을 가지고 1, 2, 3, 4상의 연구를 통해 임상에서 활용되기 전 실시된다. 그러나 한의학의 임상연구는 이미 임상에서 활용되는 중재의 안전성을 검증하고, 기존 통용되는 표준치료와의 비교 효과 연구 및 치료 요소별 효능을 검증한 이후 생물학적 기전을 밝히는 순으로 시행되어, 일반적인 의약품임상시험과는 반대 방향으로 진행되는 특징이 있다.

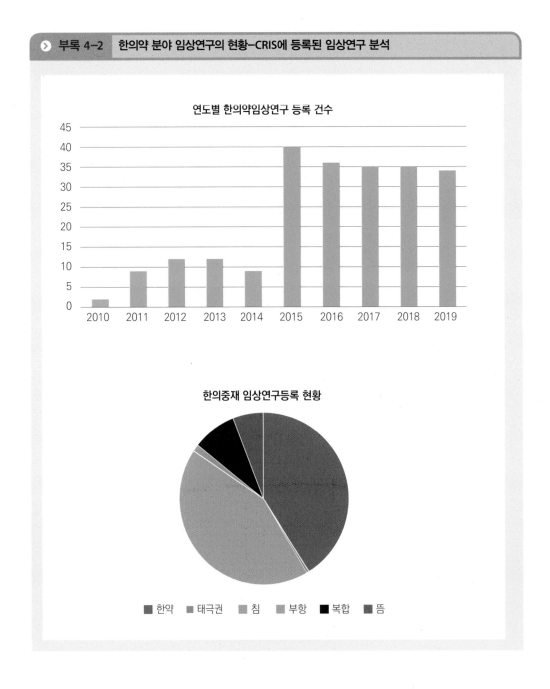

한의약의 중재인 한약, 침, 뜸, 부항, 태극권 및 복합 중재에 대한 임상연구를 국내의 임상시험 레지스트리인 CRIS를 통해 2019년 12월까지 조사해본 결과, 약 200건 이상의 연구가 검색되었다(2019년 12월 13일 기준, CRIS에 등록된 임상연구가 총 4,531건이며, 한의 중재 임상연구가 224건으로 집계되어 전체의 약 5% 정도를 차지하고 있음을 알 수 있다). 이들을 분류해보면 침에 대한 임상연구가 가장 많고, 그 다음으로 한약, 뜸, 복합 중재, 부항, 태극권의 순으로 임상연구가 진행 혹은 완료되었음을 알 수 있다. 또한 CRIS에 연구등록이 가능해진 2010년부터 2019년까지 연평균 20여건의 임상연구가 등록되고 있으며, 그 수는 2015년부터 급격하게 증가한 것을 볼 수 있다. 등록된 임상연구 중 식약처에 임상시험계획승인을 받은 후 진행된 연구는 전체의 10% 내외에 불과하였으며, 대부분 임상시험계획승인 대상에 해당되지 않는 연구로 분류되었다. 거의 모든 임상연구는 보건복지부나 한국한의학연구원, 통합의료진흥원 등으로부터 국가연구비를 지원받아 수행되고 있으며, 산업체 등의 스폰서를 통해 연구비를 지원받는 연구는 거의 없는 것으로 확인되었다. 암이나 근골격계질환, 신경계질환이나 소화기계질환 등이 임상연구를 통해 평가 대상이 되는 주요 질환이었다. 마지막으로 한의약 중재의 임상연구는 대부분이 식약처의 임상시험계획승인 대상 연구가 아니기 때문에 임상시험의 단계에 해당되지 않는 연구들이 많으며, 특히 1상이나 2상연구는 매우 소수임을 알 수 있다. 이와 같은 내용을 통해 알 수 있는 것은, 한의약 임상연구는 현재 증가 추세에 있으며, 대부분 국가로부터 연구비를 지원받아 수행되는 것으로, 의약품이나 의료기기 개발과정에서 안전성와 유효성을 밝히기 위해 수행되는 임상시험보다는 한의약 중재의 임상 근거를 수립하기 위하여 수행되는 임상연구가 대부분을 차지한다는 점이다. 또한 한의약 중재 중 침과 한약에 대한 임상연구가 대부분을 차지하고 있다는 사실도 확인할 수 있다.

> **부록 4-3** **한의약 임상연구와 임상 근거의 문제점과 미래**

미국 재향군인회에서 발표한 침의 근거지도(Evidence map of acupuncture)라는 자료를 보면 다양한 질환에 대한 침치료의 임상적 근거수준을 도식화하고 있는데, 상당수의 질환들에 대하여 침이 임상적으로 유효한지에 대한 근거가 아직은 확실하지 않다고 분류하고 있는 것을 알 수 있다.[17] 왜 그런지에 대하여 이런저런 추측이 가능하지만, 근거평가의 기본 자료가 되는 임상연구의 관점에서 보자면 몇 가지로 설명이 가능하다. 첫 번째는 임상연구에서 활용되는 중재가 임상 현실을 충분히 반영하지 못하기 때문이라는 분석이다. 침 근거의 불확실성이 환자의 특수성을 고려하지 않고 정형화된 경혈을 선택하여, 모두에게 동일한 침자극을 시행하거나, 충분히 숙련되지 못한 치료자가 연구에 참여한다든지, 부적절한 수기법을 사용하거나 전체 치료 횟수가 효과를 발휘하기에 턱없이 부족하다든지 하는 연구설계 상 한계에 기인한다는 것이 이러한 분석의 주된 근거이다.[18] 두 번째는 임상연구 방법론 상의 문제점으로, 거짓침이 침의 공정한 평가를 위한 대조군으로 적절한가에 대한 논란이 있음에도 지속적으로 사용되고 있다는 점, 무작위순서 생성이나 배정은닉, 눈가림, 불완전한 결과보고, 선택적인 결과보고 등 연구설계의 측면에서, 기존의 침에 대한 임상연구가 치밀하지 못하다는 점에 기인하여, 침의 유효성과 안전성에 대한 양질의 증거를 제시하지 못한다고 지적하고 있다.[19] 세 번째로는 대부분의 연구가 재정적인 이유 등으로 인해 소수의 대상자만을 모집하고 있기 때문에 검정력 부족 및 불확실성 증가로 인하여 임상연구를 통해 실제적인 효과나 안전성에 대한 명확한 근거를 제시해 주지 못하고 있다는 지적도 있다.[20] 또한 근거합성을 위해 실시되는 메타분석에 포함된 연구들 간에 이질성이 커서 의약품에 대한 근거를 평가하듯 개별 연구의 결과를 일괄적으로 합성하여 얻은 통합된 효과추정치를 신뢰할 수 없다는 의견도 있다. 침연구의 사례와 같이, 여타 한의학 중재의 임상 근거 현황도 유사한 상황임은 부인할 수 없다.

임상에서 침, 한약 등 한의약 중재들이 다양한 질환에 실제적인 효과를 발휘하고 있음에도, 임상 근거가 부족하거나 불확실한 상황을 어떻게 해결할 수 있을 것인가? 지금은 임상 근거를 평가하기 위해 필요한 무작위대조군임상연구가 부족하여, 근거의 위계상 상위에 위치하는 체계적문헌고찰을 시행할 때에 이르지 못하였으므로, 무작위대조군연구만을 시행해야 할 때라고 주장하는 연구자들도 있다. 양질의 임상 근거를 제공하기 위하여 다양한 질환에 대한 한의약 중재들의 유효성과 안전성 및 현재 통용되는 표준치료와의 비교를 통해서 상대적인 이득과 위해를 평가하는 임상연구가 활발하게 시행되어야 하는 것에는 반론의 여지가 없다. 다만 현존하는 임상 근거 현황을 파악하고 각각의 질환과 중재에 대하여 확실한 근거가 있는지 평가하여, 근거가 아직 마련되어 있지 않은 중재나 질환 등의 연구 영역을 확인하고, 향후 임상연구를 수행하기 위한 우선 순위를 정하여, 하나씩 확인해 나가는 것이 필요하며, 이를 위해 체계적문헌고찰도 수행되어야 할 필요가 있다. 보다 근본적으로는 임상연구에서 질적인 수준을 제고하려는 노력도 필요하다. 비뚤림위험이 낮은 연구설계와 엄격한 연구수행, 검정력을 갖추기 위해 충분한 대상자를 포함, 임상연구 정보의 사전등록 등이 필요하다. 또한 연구에 사용되는 한의약 중재가 최대한 임상 현실을 반영하며, 한의 이론적인 측면은 물론 인체의 생리와 병리적 기전의 측면에서 타당성이 높은 중재를 임상연구에서 사용해야 하도록 해야 한다. 논란이 있는 거짓침을 대조군으로 활용하는 것 보다는 통용되는 표준치료와 비교 임상연구를 통해 유효성과 안전성을 평가하는 것도 고려해봄직하다.

알기 쉬운 임상연구 입문 가이드

참고문헌

1. PubMed Help, https://www.ncbi.nlm.nih.gov/books/NBK3827/#pubmedhelp.Combining_searches_using_Hist.

2. Kim TH, Lee MS, Kim KH, et al. Acupuncture for treating acute ankle sprains in adults. Cochrane database of systematic reviews 2014(6)

3. CONSORT statement history, http://www.consort-statement.org/about-consort/history.

4. CONSORT 2010 statement, https://www.equator-network.org/reporting-guidelines/consort/.

5. Lee JS, Ahn S, Lee KH, et al. Korean translation of the CONSORT 2010 Statement: updated guidelines for reporting parallel group randomized trials. Epidemiology and health 2014;36

6. PRISMA statment 한국어판, http://www.prisma-statement.org/documents/PRISMA%20Korean%20checklist.pdf.

7. PRISMA statment, https://www.equator-network.org/reporting-guidelines/prisma/.

8. SPIRIT 2013 성명서(한글 번역판), http://www.spirit-statement.org/wp-content/uploads/2015/08/SPIRIT-2013-Korean-translation-Final-Aug-2015.pdf.

9. CARE 지침의 한국어판, https://www.e-jar.org/upload/pdf/acupunct_32-4-1_9.pdf.

10. The CARE Guideline, https://www.equator-network.org/reporting-guidelines/care/.

11. AGREE reporting checklist, https://www.equator-network.org/reporting-guidelines/the-agree-reporting-checklist-a-tool-to-improve-reporting-of-clinical-practice-guidelines/.

12. AGREE 2 홈페이지, https://www.agreetrust.org/agree-ii/.

13. WHO ICTRP, http://apps.who.int/trialsearch/default.aspx.

14. ClinicalTrials.gov, https://clinicaltrials.gov.

15. CRIS, https://cris.nih.go.kr/cris/index.jsp.

16. Fønnebø V, Grimsgaard S, Walach H, et al. Researching complementary and alternative treatments – the gatekeepers are not at home. BMC medical research methodology 2007;7(1):7.

17. Hempel S, Taylor SL, Solloway MR, et al. Evidence map of acupuncture. 2014

18. Liu W-h, Hao Y, Han Y-j, et al. Analysis and thoughts about the negative results of international clinical trials on acupuncture. Evidence-Based Complementary and Alternative Medicine

2015;2015

19. Manheimer E, Ezzo J, Hadhazy V, et al. Published reports of acupuncture trials showed important limitations. Journal of clinical epidemiology 2006;59(2):107-13.

20. Nüesch E, Trelle S, Reichenbach S, et al. Small study effects in meta-analyses of osteoarthritis trials: meta-epidemiological study. Bmj 2010;341:c3515.

INDEX

한글

ㄱ

개방형 접속 · 140

개인정보보호법 · 90

건강결과 · 24

검정력 · 171

결과확인비뚤림 · 23

계획서순응분석법 · 174

관찰연구 · 6, 51

교차시험 · 56

국가한의임상정보포털 · 156

군집무작위배정연구 · 56

권고 등급 · 35

권고문 · 35

근거 · 4

근거문서 · 109

근거의 질 · 7

근거중심의학 · 3

기관생명윤리위원회 · 86

ㄴ

눈가림 · 6, 72

뉘른베르크 강령 · 82

ㄷ

단면연구 · 64

대립가설 · 167

델파이 방법 · 36

동등성검정 · 168

동료심사 · 138

ㅁ

메타분석 · 5, 28

모니터링 · 110

모니터요원 · 121

모수검정 · 174

모집비뚤림 · 76

무작위대조군임상연구 · 5
무작위배정순서의 생성 · 71, 107
무작위오류 · 21

수행비뚤림 · 7
식품의약품안전처 · 89
실행비뚤림 · 23

ㅂ

배정은닉 · 71, 107
벨몬트 보고서 · 79, 84
보고비뚤림 · 24
보고지침 · 124
비뚤림위험평가 · 21
비모수검정 · 174
비열등성검정 · 168
비투과성 봉투 · 72
비특이적 효과 · 53
비평적평가 · 17, 160

ㅇ

약사법 · 91
약탈적 저널 · 146
약효세척기간 · 75
역인과성의 문제 · 62
연구대상자 · 81
연구등록 · 101
연구등록 레지스트리 · 101
연구질문 · 103
연속형자료 · 173
영향력 지수 · 140
오류 · 21
오즈 · 62
오즈비 176
온라인 요약 근거 제공 서비스 · 158
우위성검정 · 168
위약효과 · 54
위양성 · 168
위음성 · 171
위해에 대한 위험 · 88
위험이익평가 · 88
의뢰자주도임상시험 · 42

ㅅ

사전동의 · 79
상대위험도 · 176
생명윤리 및 안전에 관한 법률 · 90
선정제외기준 · 104
선택비뚤림 · 6
선택적인 보고 · 40
수지상도표 · 177

의약품 등의 안전에 관한 규칙 · 91

의약품 임상시험 관리기준 · 52, 89

의학 주제 표제어 · 150

이분형자료 · 173

이익과 위해 · 52

이전관찰치적용분석법 · 175

이질성 · 179

이해상충 · 40

인간대상연구 · 86

인간 존중 · 84

인체유래물연구 · 86

임상시험 · 13, 51

임상시험기본문서파일 · 116

임상시험수탁기관 · 92

임상시험자자료집 · 116

임상연구 · 51

임상연구계획서 · 93

임상연구 레지스트리 · 153

임상진료지침정보센터 · 156

증례기록서 · 109

참여자 연대표 · 105

체계적문헌고찰 · 4

체계적오류 · 21

최소위험 · 88

출판비뚤림 · 40, 153

취약한 연구대상자 · 81

치료의향분석 · 174

코크란 라이브러리 · 151

코크란 연합 · 16

코호트연구 · 67

잔류효과 · 75

저널 · 137

적임기준 · 104

점검 · 110

중도탈락 · 120

탈락비뚤림 · 24

특이적 효과 · 53

품질관리 · 121

ㅎ

할당비뚤림 · 6

헬싱키 선언 · 83

환자의 가치와 선호도 · 9

효과차이 · 171

효과크기 · 171

영어

A

Allocation bias · 6

Allocation concealment · 71

Alternative hypothesis · 167

Attrition bias · 24

Audit · 110

B

Belmont report · 79, 84

Beneficence · 84

Benefit · 88

Blinding · 6, 72

C

Carryover effect · 75

Clinical trials · 52

Cluster randomized controlled trials · 56

Cochrane Collaboration · 16

Cohort study · 67

CONSORT · 15

Continuous data · 173

Critical appraisal · 17, 160

CRO · 92

Crossover study · 56

Cross−sectional study · 64

D

David Sackett · 4

Declaration of Helsinki · 83

Delphi · 36

Detection bias · 23

Dichotomous data · 173

E

Effect size · 171

Embase · 151

Error · 21

Evidence • 4

Evidence−based medicine • 3

F

False negative • 171

False positive • 168

Forest plot • 177

G H

Gordon Guyatt • 4

GRADE • 7

Heterogeneity • 179

I

Impact factor • 141

Informed consent • 79

Intention−to−treat analysis • 174

J K L

Journal • 137

Justice • 84

KGCP • 89

Last observation carried forward • 175

M

Mean difference • 176

Medical Subject Headings • 150

MeSH • 150

Meta−analysis • 28

Minimal risk • 88

N

NECA • 155

NICE • 34

Null hypothesis • 167

Number needed to treat • 176

Nuremberg code • 82

O

Odds • 62

Odds ratio • 176

Opaque envelope • 72

Outcome • 24

P Q

Peer review • 138

Performance bias • 6, 23

Per protocol analysis • 175

PICO • 103

Placebo effect • 54

Power • 171

Predatory journals • 146

Publication bias • 40, 153

Quality of evidence • 7

R

Random error • 21

Random sequence generation • 71

Recommendation • 35

Recruitment bias • 76

Relative risk • 176

Reporting bias • 24

Reporting guideline • 124

Respect for persons • 84

Reverse causality • 62

Risk difference • 176

Risk of bias assessment • 21

Risk of harm • 88

S

Selection bias • 6

Selective reporting • 40

SPIRIT 2013 • 93, 112

Standardized mean difference • 176

Strength of recommendation • 35

Systematic error • 21

Systematic reviews • 4

T W

The equivalence test • 168

The non-inferiority test • 168

The superiority test • 168

Trial master file • 116

Type 1 error • 168

Washout period • 75